JAN KARON

De fidèles bergers

Un Noël à Mitford

Traduit de l'américain
par Danielle Champagne

Éditeur : François Doucet
Traduction : Danielle Champagne
Révision linguistique : Nicole Demers, André St-Hilaire
Révision : Nancy Coulombe
Graphisme : Sébastien Rougeau
Illustrations : Donna Kae Nelson
ISBN 2-89565-263-5
Première impression : 2005
Dépôt légal : troisième trimestre 2005
Bibliothèque Nationale du Québec
Bibliothèque Nationale du Canada

Éditions AdA Inc.
1385, boul. Lionel-Boulet
Varennes, Québec, Canada, J3X 1P7
Téléphone : 450-929-0296
Télécopieur : 450-929-0220
www.ada-inc.com
info@ada-inc.com

Diffusion

Canada :	Éditions AdA Inc.
France :	D.G. Diffusion Rue Max Planck, B. P. 734 31683 Labege Cedex Téléphone : 05.61.00.09.99
Suisse :	Transat - 23.42.77.40
Belgique :	D.G. Diffusion - 05.61.00.09.99

Imprimé au Canada

Participation de la SODEC. SODEC
Nous reconnaissons l'aide financière du gouvernement du Canada par l'entremise du Programme d'aide au développement de l'industrie de l'édition (PADIÉ) pour nos activités d'édition.
Gouvernement du Québec - Programme de crédit d'impôt pour l'édition de livres - Gestion SODEC.

Catalogage avant publication de Bibliothèque et Archives Canada

Karon, Jan, 1937-

De fidèles bergers
Traduction de : Sheperds abiding.
ISBN 2-89565-263-5

I. Champagne, Danielle, 1958- . II. Titre.

PS3561.A585S5314 2005 813'.54 C2005-940902-9

À l'honneur et à la gloire
de l'Enfant, Emmanuel,
Dieu parmi nous.

Remerciements

Mercis chaleureux à :

La famille Heirlooms à Blowing Rock, où j'ai trouvé les personnages de la crèche dont je parle dans cette histoire ; ma fille, Candace Freeland, qui s'est emballée pour mon projet et qui m'a fourni une idée formidable ; Mme George (Bobby) Walton qui, sans être informée de mon besoin, m'a fait parvenir un livre rempli d'images de la Nativité qui m'a été des plus utiles ; mes éditeurs chez Viking Penguin, qui sont toujours aussi gentils ; Fr. James Harris, qui est toujours aussi serviable et sensible ; Jefferson Otwell ; le révérend Keith L. Ackerman ; Gary Purdy ; Hoyt Doak ; Lisa Knaack ; Sherman Knaack ; Mike Thacker ; Bill Lapham ; Asher Lapham ; et Michael Summers.

Mercis particuliers à :

Stefanie Newman, qui a restauré les personnages de la crèche et leur a conféré leur charme et leur beauté.

Il y avait dans le même pays des bergers qui vivaient aux champs et montaient la garde pendant la nuit auprès de leur troupeau.

Un ange du Seigneur se présenta devant eux, la gloire du Seigneur les enveloppa de lumière et ils furent saisis d'une grande crainte.

L'ange leur a dit : « Soyez sans crainte, car voici, je viens vous annoncer une bonne nouvelle, qui sera une grande joie pour tout le peuple.

Il vous est né aujourd'hui, dans la cité de David, un Sauveur qui est le Christ Seigneur.

Et voici le signe qui vous est donné : vous trouverez un nouveau-né emmailloté et couché dans une mangeoire. »

Tout à coup il y eut avec l'ange l'armée céleste en masse qui chantait les louanges de Dieu et disait :

« Gloire à Dieu au plus haut des cieux et sur la terre paix pour ses bien-aimés. »

Or, quand les anges les eurent quittés pour le ciel, les bergers se dirent entre eux : « Allons donc jusqu'à Bethléem et voyons ce qui est arrivé, ce que le Seigneur nous a fait connaître. »

Ils y allèrent en hâte et trouvèrent Marie, Joseph, et le nouveau-né couché dans la mangeoire.

Après avoir vu, ils firent connaître ce qui leur avait été dit à propos de cet enfant.

Et tous ceux qui les entendirent furent étonnés de ce que leur disaient les paroles des bergers.

Luc, 2,8 – 18, KJV

Un

La pluie avait commencé à cinq heures pile, mais peu de gens étaient éveillés pour l'entendre tomber. C'était une pluie fine semblable à une ondée estivale qui se serait échappée des griffes du temps ou des saisons pour venir tomber sur Mitford avec quelques mois de retard.

À six heures, quand la plupart des 1 074 habitants s'apprêtaient à quitter le village pour aller travailler à Wesley, à Holding, ou de l'autre côté de la frontière du Tennessee, les gouttes étaient devenues plus grosses et plus lourdes, comme si elles étaient chargées de mercure, et ceux qui couraient vers leur voiture ou leur camion sans parapluie sentaient distinctement le clic-clac de chacune d'elles.

Se hâtant vers un camion équipé d'échelles de peintre, quelqu'un sur Lilac Road cria « Hi-ha ! » une clameur qui déclencha un concert d'aboiements chez les chiens du voisinage.

Çà et là, à l'instar des étoiles au crépuscule, s'allumaient des lampes dans les maisons du village, et les radios et téléviseurs annonçaient que le front atmosphérique surplombant la côte Est y resterait fermement logé pendant deux jours.

Quelques bienheureux étaient encore dans leur lit à écouter tambouriner la pluie sur le toit ; ils étaient soulagés de ne pas avoir à se lever avant qu'ils ne soient tout à fait frais et dispos.

Certains remerciaient Dieu pour le temps qui leur restait à vivre dans ce lieu sûr et douillet, à l'abri des soucis du monde ; d'autres commençaient déjà à s'inquiéter de ce qu'allait leur apporter cette nouvelle journée.

Ce matin-là, le père Timothy Kavanagh, l'une des personnes les plus matinales de Mitford, ne s'était pas levé aussi tôt que d'habitude. Dans la maison jaune de Wisteria Lane, il était étendu dans son lit et écoutait la mélodie du ronflement de son épouse, une mélodie qui se mêlait au son de la pluie qui s'écoulait dans les gouttières.

S'il avait prononcé ses vœux de mariage avant l'âge de soixante-deux ans, peut-être après sept ans aurait-il tenu pour acquise son union. Mais rarement s'éveillait-il à proximité de sa tendre et chaleureuse épouse sans ressentir une douce émotion qui s'accompagnait d'une admiration sans borne. Cynthia était sa meilleure amie, une compagne inestimable, un véritable don du ciel qui avait entièrement transformé sa vie.

Bientôt il se lèverait pour entreprendre sa journée par une course sous la pluie avec son chien fidèle, Barnabas. Puis, pendant que le café filtrerait, il lirait l'office du matin, ce qu'il avait fait pendant plus de quatre décennies à titre soit de prêtre, soit de retraité.

Sentant un léger courant d'air, il se rapprocha de son épouse endormie, l'enlaça et la serra contre lui et, comme toujours, flottait dans la pièce un délicat et familier parfum de glycine.

Lew Boyd, qui aimait se lever avec le soleil du matin, jeta un œil sur le cadran lumineux de sa Timex qu'il ne quittait jamais et vit que c'était le premier jour d'octobre.

Octobre ! Comment le temps avait-il pu filer si vite ? Hier encore, c'était le mois de juillet et voilà qu'aujourd'hui c'est octobre ! Au fait, où était passée sa vie ?

Il scruta le plafond de la chambre et se mit à réfléchir à un sujet auquel il ne s'était jamais attardé. Cependant, le moment semblait approprié pour régler la situation une fois pour toutes.

Durant sa jeunesse, il avait été un jeune homme insouciant. Puis, avant même d'avoir pu crier Jack Robinson, il était devenu un vieux bonhomme avec une nouvelle épouse secrète qui vivait au plus profond du Tennessee avec sa mère, pendant que lui reposait seul ici dans ce lit froid, comme durant toutes ces années où il avait été veuf.

Il tentait de se rappeler ce qui s'était produit au juste entre le temps de sa jeunesse et celui de sa vieillesse mais, du moins sans une tasse de café, son esprit restait vide.

Même s'il avait trimé dur, épargné de l'argent, rendu hommage à son épouse décédée en regardant sa photo tous les dimanches et en payant pour faire entretenir sa tombe, il n'était pas certain qu'aux yeux du bon Dieu il avait réussi sa vie.

Les rares fois où il avait escroqué un client à sa station Exxon, même s'il ne s'agissait que de quelques dollars, il avait demandé pardon. Il avait fait de même les fois où il s'était disputé pour un rien avec Juanita ou encore après quelques autres événements auxquels il ne voulait plus jamais repenser.

De plus, il avait cessé de fumer depuis douze ans, diminué sa consommation de brandy aux pêches qu'il éclusait depuis la mort de Juanita et augmenté le montant qu'il donnait à la quête les rares dimanches où il se montrait à l'église First Baptist.

Cependant, il lui semblait que tout — le bon comme le mauvais, les hauts comme les bas, le positif comme le négatif — s'était éclipsé à vive allure, comme Dale Earnhardt jr à Talladega.

Il poussa un gros soupir, s'extirpa du lit et glissa ses pieds froids dans les escarpins brun et blanc délacés qu'il portait dans la maison. Si Juanita vivait encore ou si Earlene avait été là, il aurait probablement mis le chauffage à une température plus que confortable. Puisqu'il était maintenant le seul maître du thermostat, et qu'il considérait la fournaise à mazout comme une source de gaspillage, il attendait les premiers gels avant de l'allumer pour se réchauffer.

Assis sur le bord de son lit, une couverture sur ses jambes nues, il se gratta la tête et bâilla. Puis, il tendit le bras vers le sans-fil et appuya sur la touche de recomposition.

Lorsque son épouse, qui habitait avec sa mère mourante dans une maisonnette en planches à la limite sud de Knoxville, répondit, il lui dit :

— Bonjour, mon bel amour.

— Bonjour, mon chéri. Comment ça va, c'matin ?

— À merveille ! Vraiment *à merveille* !

Durant une demi-seconde, il crut qu'il racontait un gros mensonge, puis il se rendit compte qu'il disait simplement la vérité. Entendre la voix enjouée d'Earlene l'avait transformé ; d'un vieillard qui s'était éveillé dans un lit glacé, il était devenu un jeune homme fringant qui venait tout juste de se souvenir que ce soir il partait pour le Tennessee dans sa nouvelle camionnette Dodge.

À six heures trente, Hope Winchester marchait d'un pas pressé dans Main Street avec un parapluie rouge à la main. La pluie s'écoulait des gouttières des immeubles, gouttières qu'elle enjambait d'un pas pressé, et s'égouttait sur le bord du trottoir pour former un large ruisseau tumultueux.

Pour le conducteur d'une familiale qui arrivait de la montagne, le personnage qui se hâtait près du Main

Street Grill n'était qu'une tache de rouge dans le triste tableau d'un matin gris. Pourtant, cette dernière égaya momentanément le visage du conducteur.

Hope évita la vague provenant des roues de la familiale et s'agrippa plus fermement au livre de poche qu'elle tenait et qui renfermait trois enveloppes dont le contenu pourrait changer sa vie à tout jamais. Elle les alignerait sur son bureau dans l'arrière-boutique de la librairie pour examiner ces merveilles avec dévotion encore et encore. Puis, à la fin de la journée, elle les mettrait dans son sac à main et les rapporterait chez elle pour les aligner sur la table de cuisine, reprenant le même manège une fois de plus.

Hier, UPS avait livré avec quelques heures de retard les livres qui devaient faire l'objet d'une promotion ce mois-ci ; elle avait donc perdu un temps précieux dans la préparation de la vitrine, un temps qu'elle devait reprendre en se mettant à l'œuvre avant l'ouverture de la librairie, prévue pour dix heures. Après tout, c'était le premier octobre — le temps de renouveler l'étalage en vitrine en vue de la grande vente annuelle en O.

Tous les titres commençant par la lettre O seraient réduits de vingt pour cent, ce qui ne manquerait pas d'attirer les étudiants et les professeurs de Wesley. La grande vente en S du mois de septembre avait accru le bénéfice net annuel de douze pour cent, et cela parce que, elle, Hope Winchester, habituellement si prudente, avait fortement conseillé à la propriétaire d'accorder aux clients « un escompte vraiment significatif ». Nous vivons dans un monde de grandes surfaces, de Books-A-Million, B & N, Sam's Club avait insisté Hope, et une réduction de cinq pour cent sur quelques titres épars ne fonctionnait plus, pas même à Mitford, qui n'était pas aussi tranquille et banale que se plaisaient à le croire certaines personnes.

Elle se précipita sous l'auvent, ferma son parapluie dégoulinant et mania la clé dans la serrure de la porte de l'ancienne pharmacie de Willard Porter, connue aujourd'hui sous le nom de Happy Ending Books.

La serrure portait la marque d'ingéniosité que seul pouvait posséder un mécanisme fabriqué en 1927. Helen, la propriétaire, avait refusé de la remplacer, convaincue qu'un cambrioleur ne pourrait venir à bout de ses innombrables caprices.

Manœuvrant adroitement, Hope sentit que ses pieds étaient froids et trempés. Elle se dit que c'était sans doute ce qu'elle méritait puisqu'elle portait encore des sandales après la fête du Travail, une habitude qui lui avait souvent valu les réprimandes de sa mère.

Une fois à l'intérieur et à l'encontre des directives strictes d'Helen, qui vivait en Floride et qui préférait retarder jusqu'à la première neige le moment de chauffer la boutique, Hope s'élança vers le thermostat : dix degrés. Qui aurait l'idée de lire un livre — et d'en acheter un — à une telle température ?

Tandis que Margaret Ann, la chatte des lieux, se frottait à ses chevilles, Hope alluma le chauffage.

Le plancher de bois usé trembla légèrement et aussitôt elle entendit la fournaise qui, de la cave, offrait son mot de bienvenue sonore à l'automne qui arrivait à Mitford.

L'oncle Bill Watson était couché, les yeux clos, et il écoutait la pluie bondissant sur la toiture du musée municipal de Mitford, dont la partie arrière constituait un domicile pour lui et Rose.

Il était content qu'il pleuve, et ce, pour deux raisons.

D'abord, il se disait que la terre d'viendrait juste assez malléab' pour planter les trois bulbes de narcisses que Dora Pugh lui avait apportées. Ces bulbes, s'ils étaient comme ses graines, seraient impropres à la plantation mais il voulait leur donner une aut' chance de s'montrer honorables et de se retrouver parmi les marchandises qu'il vendait.

À l'époque où il se sentait plus fort et où le doc le laissait s'activer dehors, il aurait su exactement où les planter pour créer l'meilleur effet — au bas d'l'escalier arrière, à gauche, là où l'facteur ne pourrait les déraciner par mégarde.

Sentant la chair de poule sur ses bras et ses jambes, il remonta les couvertures jusqu'à son menton.

L'aut' avantage d'la pluie, si elle durait, c'était que Betty Craig cuisinerait plein de p'tits plats à faire saliver un homme lorsqu'elle viendrait s'occuper d'lui aujourd'hui. S'il existait que'qu'chose de mieux que d'écouter la pluie tomber sur un toit tout en humant l'odeur d'la bonne bouffe en train d'mijoter, il ne pouvait imaginer c'que c'était.

Il reposait, complètement immobile, écoutant maintenant les battements de son cœur.

Son cœur ne faisait plus tac tac tac *toc* comme auparavant ; les r'mèdes étaient efficaces.

Quelques secondes plus tard, il se retourna et se couvrit les oreilles afin de ne plus entendre les ronflements de sa femme qui était couchée dans le lit d'à côté.

Il ne voyait p't-être plus très bien et ne contrôlait pas toujours sa vessie mais, bonté divine, il captait encore le bruit d'un grillon dans l'herbe. Merci, mon Dieu, et alléluia.

– Jetez un coup d'œil là-dessus, dit J.C. Hogan, l'éditeur du *Mitford Muse* et un client régulier du Main Street Grill. Il tendait un exemplaire du *Muse,* tout frais sorti des presses à l'étage au-dessus d'eux, sous les yeux du père Tim.

– L'équipe de photographes ? l'interrogea le père Tim.

UN SPECTACLE HAUT EN COULEUR

Puisque le maire de Mitford n'était pas de retour de son voyage d'affaires en Angleterre avant notre date de tombée, le journal a invité l'ancienne mairesse, Esther Cunningham, à faire la prédiction annuelle officielle du *Muse* concernant notre feuillage automnal.

« De la couleur partout ! » a déclaré Mme Cunningham.

Tous les métérologues de la région ouest de la Caroline du Nord sont d'accord et affirment que cette année les couleurs « seront plus vives que jamais », en raison de l'été montagnard chaud et sec que nous avons connu, suivi de pluies torrentielles à partir du 7 septembre, puis intermittentes par la suite.

Préparez vos appareils photo en attendant que les célèbres érables à sucre couvrant Mitford, de l'église First Baptist jusqu'à Little Mitford Creek, déploient leur beauté. C'est du 10 au 15 octobre que le paysage devrait être le plus coloré.

Utilisez des films ASA 100 et évitez de prendre des photos en plein soleil. Meilleur emplacement le matin : les marches de l'église First Baptist, objectif pointant vers le sud ; en après-midi : le trottoir devant l'église, objectif pointant vers l'est. Ces conseils vous sont offerts par l'équipe de photographes du *Muse*.

— Oui, c'est bien cela, répondit J.C.

— Je croyais que l'orthographe était vérifiée par un logiciel.

— C'est le cas.

— Il y a une erreur.

— Où ? Quel mot ? dit J.C. en saisissant le journal.

— Le mot *météorologues* est mal orthographié.

L'ancien recteur de l'église épiscopale locale s'était empêché depuis des années de critiquer l'orthographe pourrie de l'éditeur du *Muse* mais, puisque le journal avait investi dans un logiciel de correction, il se permettait enfin de le faire sans risquer d'insulter qui que ce soit.

J.C. marmonna un mot rarement prononcé dans l'alcôve au fond du Grill.

— Vous devriez faire un concours de photos, suggéra le père Tim en soulevant une tasse de café fumante. « Couleurs d'automne, grand prix, second prix... quelque chose comme ça. »

— Si la pluie continue, y aura pas d'quoi faire un concours. En plus, faudrait que je crache quelques centaines de dollars pour qu'ça fonctionne.

— Où est Mule ? demanda le père Tim. L'ancien agent d'immeubles les rencontrait dans cette alcôve du fond depuis des décennies et n'avait que rarement manqué les rendez-vous à l'heure du petit-déjeuner.

— Avec les microbes de Mitford. Probablement à cause de c'te chaleur sèche qui s'est changée en froid humide.

Velma Mosely s'approcha, chaussée d'une paire de Nikes couleur argent.

— On dirait bien que le club des dindes a perdu un d'ses gloutons c'matin. Qu'est-ce que j'vous sers ?

C'était la dernière année de Percy et Velma Mosely en tant que propriétaires du Grill. À la fin de décembre, après quarante ans en affaires, ils allaient fermer leurs portes et ne renouvelleraient plus leur bail.

Au printemps, ils se rendraient à Washington en autocar pour y admirer les cerisiers en fleurs. Après quoi, ils planifiaient de prendre leur retraite à Mitford, où Percy ferait pousser un potager pour la première fois depuis des années et Velma adopterait un chat à poils courts.

Le père Tim fit un signe de la tête vers J.C.

– Après toi.

– Trois œufs brouillés avec du gruau de maïs, du bacon et quelques galettes ! Et plein de beurre avec ça !

L'éditeur du *Muse* fixait Velma, l'air d'attendre quelque chose.

– Vot'femme m'a dit de ne pas vous servir de gruau de maïs avec du bacon, encore moins des galettes avec plein d'beurre.

L'épouse de J.C., Adele, était la première – et jusqu'à maintenant la seule – policière à Mitford.

– Ma *femme* ?

– Eh oui, Adele s'est arrêtée ici en s'rendant au poste c'matin. Elle a dit que l'doc Harper vous avait averti que c'genre de nourriture n'était plus permis à partir d'aujourd'hui.

– Depuis quand vous mêlez-vous de c'que les gens commandent ?

– C'est à prendre ou à laisser, répliqua Velma.

Il y avait bien cent ans qu'elle se faisait commander et rabrouer par J.C. Hogan, et elle en avait marre. J.C. resta bouche bée.

— Je vais passer ma commande pendant qu'il fera un autre choix, dit le père Tim. Pour moi, ce sera la même chose que d'habitude.

Velma se tourna vers l'éditeur.

— Vous pourriez viv' plus longtemps en suivant l'exemple du père Tim.

Elle se sentit soudain très puissante après avoir remis à sa place cette grosse tête grincheuse, ce que d'ailleurs elle aurait dû faire depuis longtemps.

— Il faudrait me payer cher pour que j'avale un œuf poché. Apporte-moi trois œufs brouillés, avec du gruau de maïs, du bacon... répéta J.C d'une voix retentissante, comme si Velma était soudainement devenue sourde ..., *et deux maudites galettes.*

Le visage du compagnon de table du père Tim reflétait sa tension artérielle — à peu près 300 sur 190.

— Si tu veux mourir en pleine rue, c'est ton affaire, dit Velma. Mais j'veux pas qu'on m'accuse. Prends du yogourt et des fruits frais avec des rôties sans beurre.

— C'est mauditement *illégal* ! T'as pas à me dire quoi commander.

— Fais-toi à c'tt'idée. J'ai fait une promesse à Adele et j'vais la respecter.

J.C. regarda le père Tim pour s'assurer qu'il avait bien entendu. Le père Tim regarda Velma. C'était peut-être une farce…

Mais Velma était de glace, un char d'assaut. Sujet clos.

J.C. se redressa et sortit son atout caché.

— Dois-je te rappeler que nous vivons dans une *démocratie* ?

Velma fixait l'éditeur par-dessus ses lunettes ; des regards se tournèrent vers eux.

— Où est Percy, c'matin ? demanda J.C. en voulant étouffer dans l'œuf ce discours absurde.

— Avec les microbes de Mitford ! lança Velma.

Le jeune homme aux fourneaux leur tourna le dos, de crainte de se retrouver impliqué dans ce bazar.

Il y eut un long moment de silence, du genre de ceux que le père Tim redoutait.

— J'vais donc devoir transporter ma clientèle à l'aut' bout d'la rue !

J.C. saisit son porte-documents et s'extirpa de l'alcôve tel un boulet de canon. Le café du père Tim remua dans sa tasse.

En passant près du comptoir, l'éditeur du *Muse* beuglait des mots non publiables. Arrivé à la porte, il l'ouvrit d'un geste brusque, se retourna et cria :

— *Et,* tu seras peut-être heureuse de l'apprendre, j'ai bien l'intention d'y *rester*.

La pluie froide s'immisça à l'intérieur, la porte claqua et la cloche résonna.

— Bon débarras ! dit Velma d'un ton convaincu.

Au comptoir, Coot Hendrick versait du sucre dans son café.

— J'savais pas qu'y avait une place à l'aut' bout d'la rue où on pouvait être client.

— Je suppose qu'il veut dire le salon de thé, dit Luke Taylor, qui n'avait pas levé les yeux de son journal.

De gros rires éclatèrent. L'hilarité générale régnait chez les clients réguliers. À Mitford, le Chelsea Tea Shop était résolument le territoire, en fait le bastion, du beau sexe. Pratiquement aucun mâle n'avait posé les pieds dans ce lieu, à part quelques touristes qui n'en savaient rien.

Le père Tim s'éclaircit la gorge.

— Je crois que c'est illégal, déclara-t-il à Velma, de refuser… tu sais…

Velma ajusta ses lunettes et le toisa de haut.

– Depuis quand c'est illégal de sauver la vie d'une personne ?

De toute évidence, Velma Mosely était mûre pour la retraite.

C'était l'une de ces rares journées où le père Tim avait l'impression que le monde s'étalait à ses pieds, qu'il en était le maître.

En quittant le Grill, il resta un instant sous l'auvent vert, ne sachant trop quelle direction prendre. Une pluie fraîche tombait toujours et, malgré l'altercation déplaisante entre J.C. et Velma, il se sentait léger ; ses pieds touchaient à peine le sol. Comment une personne de son âge pouvait-elle se sentir aussi confiante et complète ? Comment cela se pouvait-il ? C'était la grâce de Dieu.

« Seigneur, fais que je sois aujourd'hui une bénédiction pour quelqu'un d'autre ! »

Il récita à voix haute la prière de sa grand-mère, déploya son parapluie et, accompagné du son de la pluie heurtant le nylon noir, il prit sur sa gauche en direction de Lord's Chapel pour emprunter un livre de Jonathan Edwards à la bibliothèque de l'église.

– Mon père !

La tête d'Andrew Gregory émergea de l'Oxford Antique Shop.

– Entrez prendre un cacao chaud.

Du cacao chaud !

Il n'avait pas goûté ce délice depuis la guerre des Boers. En vérité, cette expression ne s'entendait plus que rarement puisque de nos jours il s'agissait d'une poudre de chocolat synthétique trop sucrée qui n'avait rien à voir avec l'authentique.

– Avec grand plaisir ! dit le père Tim.

Chaque fois qu'il visitait la boutique d'antiquités, il avait l'impression de se retrouver au dix-huitième siècle. Il posa son parapluie sur un support en fer près de la porte et pénétra dans l'un de ses endroits favoris de Mitford.

– Excusez le fouillis, dit Andrew qui, malgré un probable décalage horaire, n'avait lui-même jamais l'air décontenancé. En fait, le veston de cachemire signé d'Andrew paraissait fraîchement pressé, sinon tout neuf.

– Les articles que j'ai achetés lors de mon dernier voyage ont été livrés hier, juste après mon arrivée. Le tout ressemble à un bric-à-brac pour l'instant, mais nous allons y mettre de l'ordre, n'est-ce pas, Fred ?

Fred Addison cessa d'examiner un coffre en noyer et leva les yeux en souriant.

– Ouais, M'sieur. Bonjour, mon père. Humide à vot' goût ?

– La pluie ne me dérange pas, mais mes roses ne l'aiment pas trop. Cette année, nous avons troqué les scarabées japonais contre des oïdiums. Vous avez eu un beau jardin, cette année ?

Le potager de Fred Addison était légendaire par sa grandeur et ses superbes tomates. Le père Tim avait goûté les délices de ce sol fertile à plusieurs reprises.

– Il a fallu qu' j'arrache tout, dit Fred l'air attristé.

– Souhaitons de meilleures conditions pour l'an prochain.

– Ouais, M'sieur. C'est c'qui nous reste à faire.

Andrew le conduisit dans l'arrière-boutique, là où la plaque chauffante et le pot de café résidaient si commodément, tout comme l'agréable paquet de petits pains au lait frais rapporté de Londres.

– Prenez garde où vous mettez les pieds, dit Andrew. Je viens tout juste de déballer une crèche que j'ai trouvée à Stow-on-the-Wold ; elle est plutôt abîmée. Les personnages sont bizarrement peints et il manque du plâtre ici et là...

Le père Tim examina un assortiment disparate de moutons émergeant d'une boîte, un ange doté d'une moitié d'aile, un chameau orange et, dans un emballage à bulles, un bébé couché dans une mangeoire et abandonné à lui-même...

– Une vingtaine de pièces toutes en plâtre, probablement d'origine française. Quelqu'un a créé une scène de la nativité à partir d'au moins deux, voire trois crèches différentes.

– Ah ah.

Andrew versa du lait chaud dans une grande tasse.

– Ce n'est pas le genre de choses que je fais livrer de l'autre côté de l'océan d'habitude, mais d'une certaine manière ces objets m'ont attiré.

– Oui, eh bien... ils ont un certain charme.

– J'ai pensé que quelqu'un aimerait essayer de les rafistoler.

Andrew lui tendit la tasse.

– Voici votre cacao ! Fait avec du lait frémi. Bonne humeur et optimisme garantis.

Du café et du cacao, tout cela en moins de deux heures. Le père Tim songea que son adrénaline imbibée de caféine lui ferait certainement pomper le cœur jusqu'à Noël. Il se sentait insouciant, tel un marin en permission.

Le maire de Mitford, un homme des plus compétents, était à la fois restaurateur et vendeur d'antiquités. Il émit l'un de ses réputés sourires rayonnants en disant :

– Venez, mon père, je vais vous montrer quelques-uns des articles nouvellement arrivés, pendant que vous me raconterez peut-être les derniers scandales de Mitford.

– Cela ne devrait pas prendre trop de temps, dit le père Tim.

Il ressentait la chaleur de la tasse entre ses mains et contemplait la pluie qui venait frapper les vitrines en rafales obliques. Tout dans cette grande pièce sentant le citron et la cire d'abeille était admirable – la patine qui s'était formée sur les meubles de noyer et d'acajou, la tapisserie d'une chaise d'appoint baignée par la lumière d'une lampe et, là-bas, une pile de livres à reliure de cuir tout juste sortis d'une caisse.

Il se recueillit un moment dans une profonde gratitude et fut saisi de l'étrange et envoûtante sensation qu'il allait bientôt entreprendre quelque chose…

Mais quoi ?

Quelque chose… de *différent*. Oui, c'était exactement cela.

Deux

Le lendemain de sa visite à la boutique d'antiquités, le père Tim se rendit compte que l'ange avait capté son imagination.

Il était étonné de se souvenir si clairement de son visage, qu'il avait admiré, ainsi que de la piété évoquée par ses mains jointes et ses yeux mi-clos.

Et l'aile manquante ! N'était-elle pas précisément représentative de la majorité de la horde humaine, lui inclus ?

L'image du nouveau-né lui était également venue à l'esprit. La folie et l'aspect commercial qui entouraient maintenant Noël, si éloigné de son véritable sens, faisaient de ce personnage enveloppé dans un film à bulles une métaphore tout à fait appropriée.

Au cours des dernières années, il ne s'était pas beaucoup préoccupé de crèches. Ils avaient utilisé celle de sa grand-mère maternelle une ou deux fois, mais les personnages reposant sur une base métallique étaient tellement sans éclat qu'il les avait remisés. En général, lui et Cynthia s'étaient contentés de la crèche de cette dernière, une crèche rescapée miraculeusement d'une enfance éparpillée. C'était un objet étrange et saisissant qu'elle avait fabriqué avec des bouts de laine et de la paille et où figuraient des bergers montés sur des pinces à linge, des bergers pour qui, à l'âge de quatorze ans, elle avait cousu des tuniques en soie.

Avant de venir s'installer à Mitford, il avait utilisé la crèche de fabrication irlandaise de sa famille, qui respectait les traditions anglicanes que lui avait enseignées son père qui avait quitté ce monde depuis longtemps.

Même si Matthew Kavanagh était décidément hostile à l'église et à tout ce qui lui était associé, il célébrait Noël — Noël seulement — avec une certaine passion. Et, désireuse de promouvoir le moindre élan de son cœur vers Dieu, son épouse, Madelaine, avait perpétué le respect de la période de l'avent et du jour de Noël avec un zèle particulier.

Enfant unique, lui, Timothy, avait eu le privilège et le plaisir de monter la crèche le premier jour de l'avent. Il commençait toujours, selon les directives de son père, par installer Marie et Joseph ainsi que la mangeoire vide sur le dessus d'une bibliothèque pas très haute du salon. Puis d'un côté de cette dernière, il regroupait deux ânes, un cheval à la mine triste, une vache, un veau et deux moutons, où tous se tenaient dans l'expectative.

Sa mère et son père s'assoyaient dans le salon avec lui pendant qu'il assemblait les personnages sculptés et peints à la main en une scène qu'il tentait de rendre différente chaque fois. Une année, il plaçait le cheval de manière qu'il regarde la mangeoire et, une autre, il accordait à la vache et au veau ce poste privilégié.

Il se sentait heureux de redonner vie à cette scène et encore plus heureux que son père, habituellement froid et distant, semble intéressé aux efforts de son fils.

– Le cheval paraît bien là, disait Matthew Kavanagh, mais n'y a-t-il pas trop de paille dans la mangeoire ?

– Père aime la crèche, disait-il à sa mère.

– Oui, répondait-elle. Il l'a toujours aimée. Ton arrière-grand-mère l'a rapportée d'Irlande et elle a montré à ton père comment l'installer, exactement comme il te l'a enseigné.

Il se souvenait de l'enthousiasme que lui avait procuré ce nouveau lien avec l'enfance de son père, et même avec une arrière-grand-mère qu'il ne connaissait pas. Il avait détourné la tête pour que sa mère ne puisse voir la fierté qui se reflétait sur son visage.

Au cours des jours de l'avent, qui étaient égayés par la présence d'une couronne et de chandelles spéciales, sa mère et Peggy cuisinaient et la maison regorgeait d'odeurs fabuleuses. Ces arômes, entre autres une fragrance persistante de café à la chicorée qui provenait d'un percolateur sur le poêle, étaient riches et intenses. Parfois, il pouvait même les sentir jusqu'au clapier, où son meilleur ami, Tommy Noles, venait le rejoindre pour l'aider à nourrir les lapins.

– Ces p'tits granules entrent, puis r'sortent d'une aut' couleur, avait dit Tommy.

– Ouais.

– Qu'est-ce que tu vas avoir ?

– Une bicyclette, j'espère. Et toi ?

– Probablement rien, avait répondu Tommy d'un air triste en haussant les épaules.

– Tout l'monde reçoit quelque chose à Noël, avait-il répliqué.

– Pas les pauv'.

– T'es pas pauvre.

– Becky dit qu'nous sommes pauv'.

– Mais vous avez une maison, une étable et beaucoup d'autres choses, même des chevaux. Nous, on a seulement des lapins.

Il avait toujours voulu des chevaux.

– Nous avons une vache et un veau, lui avait rappelé Tommy.

– En plus, c'est juste ta p'tite sœur. Elle est stupide de dire ça. Vous avez même un camion ; nous n'avons qu'une Buick.

Il avait toujours voulu un camion.

Tommy avait paru encouragé.

Entre-temps, quatre bergers placés sur la desserte en noyer de la salle à dîner attendaient le matin de Noël pour entreprendre leur voyage vers la crèche. Il savait que des cadeaux attendaient aussi dans la salle de couture de sa mère. Cette dernière passait de nombreuses heures dans cette pièce, à la porte toujours fermée, à emballer les présents avec de longs rubans de satin blanc qu'elle fabriquait elle-même. Elle protégeait avec une vive ardeur les merveilleux secrets qu'il tentait si ardemment de deviner.

Durant les longues journées qui précédaient Noël, il avait très hâte de poser l'enfant dans la crèche. Il ouvrait souvent le tiroir du buffet où était l'argenterie pour jeter un coup d'œil sur le nouveau-né qui reposait en sûreté dans le creux d'une louche.

À l'époque où ses amis avaient cessé de croire au père Noël, lui croyait encore à la puissante réalité de ce petit tableau — de la même façon qu'un garçon est persuadé que ses héros sont vivants et que leurs batailles féroces sur le plancher du salon sont réelles.

Des années plus tard, il avait rangé la crèche irlandaise dans le sous-sol du presbytère de Hastings, situé en bordure d'une rivière, où il avait été curé pendant dix ans avant de venir s'installer à Mitford. Il se rappelait la fois où il était revenu à la maison en voiture dans une effroyable tempête après une assemblée diocésaine. Il avait ouvert la porte du sous-sol et vu que l'eau était rendue à la hauteur de la première marche.

Sur la petite rivière ainsi formée flottaient les décorations de la crèche — les chameaux sans conducteur, les bergers sans houlette, l'étable avec son toit pointu et son étoile, une petite balle de foin et, çà et là, un mouton ou un âne et quelques débris provenant de contenants en carton et voguant à la dérive sur les eaux de crues du sud de l'Alabama.

Il les avait sauvées et remises dans une boîte puis, dans le bouleversement qui avait suivi l'inondation, il les avait oubliées. Lorsqu'il avait ouvert la boîte quelques mois plus tard, les personnages dégageaient une odeur fétide et l'humidité les avait agglutinés en un amas de moisissure plutôt répugnant.

Il avait ressenti une grande perte, ainsi qu'un soulagement, lorsque plusieurs mois plus tard il s'était aperçu que les déménageurs avaient oublié de charger la boîte dans le camion à destination de Mitford.

Chère Hope,

En raison de la nature sérieuse de la proposition qui suit, j'ai choisi de t'écrire une lettre plutôt que de te téléphoner ou de te faire parvenir un courriel. Je te laisse ainsi tout le temps nécessaire pour considérer mon idée et lui accorder cette même réflexion attentive et positive grâce à laquelle Happy Endings est devenue une entreprise plus florissante.

Mitford a beaucoup de charme mais, comme tu le sais, elle a également ses limites. À peine dix pour cent de la population apprécie une bonne lecture percutante ou a envie de feuilleter un livre. Nous avons dû nous éloigner de plus en plus de notre premier champ d'intérêt pour arriver à payer le loyer et à garnir nos rayons, et aucun comptoir à café ni aucune galerie de soi-disant cartes de souhaits amusantes ne pourrait changer cette situation difficile.

Ta façon intelligente de promouvoir la boutique HE auprès des collectivités environnantes, tes efforts constants auprès du conseil littéraire et ta mise sur pied d'un commerce en ligne de livres rares ont certainement donné des résultats positifs. C'est ce qui a permis chaque mois de payer le loyer, les comptes et ton salaire, laissant toutefois à peine de quoi réapprovisionner nos rayons.

Autrement dit, malgré ton travail acharné et ton succès bien supérieur à ce que j'ai pu accomplir à l'époque où je vivais à Mitford, la marge de profit reste mince. J'ai de la peine de devoir t'annoncer cela, mais les choses se doivent d'être claires.

Le bail de HE se termine à la fin de décembre et j'ai décidé de fermer tout simplement la boutique de Mitford. Je t'invite à venir me rejoindre à mon magasin en Floride afin de m'aider à faire grandir l'entreprise ici.

Ma chère, je ne vois vraiment pas ce qui te retiendrait à Mitford. Je t'assure que ton existence ennuyante et solitaire se transformerait ici en une vie palpitante. De plus, Peter et moi possédons un charmant hôtel privé où tu pourrais habiter dans un grand confort le temps de pouvoir voler de tes propres ailes.

Je te téléphonerai dans une semaine. Entre-temps, P et moi serons dans les Keys. Cela te laissera donc le temps de bien mûrir la réponse que j'espère entendre – et à laquelle je m'attends !

Sincèrement,
Helen

P.S. : Évidemment, nous assumerons tous les frais de déménagement, qui devraient être minimes vu le minuscule logement que tu occupes en haut du salon de thé.

P. P.S. : Je vais communiquer avec les mandataires d'Edith Mallory demain afin de leur donner l'avis de soixante jours. Comme tu le sais, le terrible incendie qui s'est produit à Clear Day l'a handicapée gravement et, même si elle a la réputation d'être une propriétaire cupide et détestable, j'avoue que j'éprouve une certaine pitié pour cette femme.

Reste discrète jusqu'à ce que Noël soit passé. Tout le monde voudrait profiter de la fermeture et je n'ai pas l'intention d'écouler la marchandise à bon marché. L'inventaire restant sera déménagé ici.

À la première lecture de cette lettre, son cœur s'était mis à battre d'excitation. Maintenant, il battait pour une raison toute différente.

Elle craignait ce qui l'attendait.

Il avait toutes les raisons du monde de ne pas le faire.

D'abord, jamais auparavant il n'avait tenté une telle chose, ni même quelque chose de semblable.

Deuxièmement, c'était le genre de projet que Cynthia aurait pu entreprendre et réussir haut la main mais, en ce qui le concernait, il n'avait pas ce talent ni cette habileté. En fait, il avait les mains pleines de pouces, sauf pour ce qui avait trait au jardinage et à la cuisine.

Troisièmement, il restait à peine suffisamment d'heures dans l'année pour accomplir un tel travail, même si au téléphone Andrew lui avait offert son aide tout au long du processus, lui promettant de chercher conseil auprès de ses ressources professionnelles.

Quatrièmement, la chose prenait trop de place, elle serait disproportionnée par rapport à la pièce une fois érigée dans le coin de son bureau ; certains personnages atteignaient une trentaine de centimètres.

Enfin et surtout, il était déjà assez occupé. Il se débattait depuis un certain temps avec une autre tâche pour laquelle il n'avait aucun talent ni aucune habileté : il écrivait un recueil d'essais. En vérité, il prenait peu de plaisir à élaborer ses satanés textes. Parfois, il avait envie de tout balancer et d'en finir. Mais il avait consacré d'innombrables heures à cette tâche…

Il revêtit sa veste, ouvrit la porte de la maison jaune et respira une bonne bouffée d'air frais matinal.

Autre chose encore… les homélies qu'il avait accepté de lire d'ici la fin de l'année – cinq en tout, dont celle de la veille de Noël à Lord's Chapel, en remplacement du père Talbot en voyage en Australie.

Et puis, qu'en était-il des préparatifs de son propre voyage ? À la mi-janvier, Cynthia et lui partaient à Meadowgate pour s'occuper de la ferme de Hal et Marge Owen pendant un an. Cette ferme n'était qu'à quinze minutes de Mitford ; ils pourraient donc facilement faire des allers-retours. Malgré tout…

Andrew Gregory polissait un coffre de style jacobin quand le père Tim arriva à l'Oxford.

Il alla directement vers Andrew et, sans plus de formalités, déclara :

– Je la prends.

Il crut entendre sa voix trembloter, et c'est probablement ce qu'elle fit.

En revenant à pied à la maison, il décida qu'il ne parlerait à personne de ce qu'il avait fait. Andrew lui avait laissé la crèche à si bon prix qu'il se disait qu'il n'avait pas eu le choix de l'acheter. Mieux encore, le chèque qu'il avait récemment reçu à la suite de la vente de sa Buick préhistorique avait payé cet achat, lui laissant même une somme rondelette.

Il se sentait soulagé. Immensément soulagé ! Sans ce revenu inattendu, il aurait dû mettre Cynthia au courant de son achat puisqu'ils s'étaient mis d'accord dernièrement de se consulter pour toute dépense dépassant cinq cents dollars.

Son épouse ne lui avait-elle pas acheté une Mustang décapotable qui coûtait bien plus que cinq cents dollars, et ce, sans lui en avoir soufflé mot ? Et sa plume Mont-Blanc qui, avait-il appris, coûtait davantage que le paiement hypothécaire mensuel versé par certaines personnes avait également été une surprise. De toute évidence, son épouse considérait que, lorsqu'il s'agissait d'une surprise, il n'y avait aucune raison d'en bavarder avec le récipiendaire. Il n'avait donc pas l'intention de se sentir coupable pour quelque chose qui, espérait-il ardemment, apporterait une joie toute spéciale à celle qui aimait les surprises.

Enfin et surtout, Andrew lui avait offert le coin sud de son arrière-boutique pour y travailler — « tout près du robinet », puisqu'il aurait besoin d'eau pour le plâtre.

Le plâtre !

Le plus décourageant des dictons lui vint à l'esprit : *On ne peut apprendre aux vieux singes à faire des grimaces.*

L'ennemi s'acharnait déjà sur lui — il percevait pratiquement son odeur de soufre —, mais il refusait de mordre à l'appât. De plus, si cet adage était vrai, grand-mère Moses se serait retrouvée sans travail, à coup sûr.

Une lumière chatoyante d'octobre balayait le trottoir lorsqu'il passa sous un arbre…

Poursuivant ses réflexions, il pensa à la déclaration qu'avait faite Michel-Ange dans la tendresse de l'âge, à quatre-vingt-sept ans.

Ancora imparo ! J'apprends encore.

Il la répéta tout haut « *Ancora imparo !* », puis accéléra le pas en chantonnant.

Chère Hope,

Comme je te l'ai promis lorsque j'ai quitté Mitford, je pense fidèlement à toi dans mes prières. Je sais, c'est une grande perte et je remercie Dieu que Sa force t'accompagne maintenant. Au cours des jours et des mois qui viendront, tu découvriras qu'Il t'aidera à supporter la tristesse et à faire ton deuil avec grâce et douceur. Ayant vécu l'horrible expérience de perdre trois de mes grands-parents en même temps, je peux affirmer sincèrement qu'il y aura même des moments où Il t'accordera la bénédiction d'une certaine joie.

Ma grand-mère, Leila, est comme une lampe dotée d'une mèche éternelle et elle apporte beaucoup d'encouragement à tout un chacun à la maison de santé où elle habite. Naturellement, j'ai repris la routine du travail et j'ai organisé une danse pour eux mercredi ; jeudi, j'ai fait des pizzas et vendredi j'ai produit un spectacle d'artistes amateurs. J'aurais souhaité que tu voies le gars de quatre-vingt-dix ans qui jouait de l'harmonica – super ! Ma visite les a tous épuisés, de même que Luke et Lizzie, qui ont donné énormément de leur temps. Je suis très heureux de ma visite, que je te raconterai en détail quand nous nous reverrons. Merci d'avoir prié pour notre voyage. Je l'apprécie beaucoup.

Je pense beaucoup à toi. N'oublie pas de te réserver du temps pour dîner avec moi quand je reviendrai chez moi, à Mitford, la semaine prochaine.

À la grâce de Dieu,
Scott

Dans l'arrière-boutique de Happy Endings, Hope finissait de lire la deuxième lettre étalée sur son bureau et la serra un moment contre son cœur. Elle n'avait jamais reçu de lettre d'amour auparavant.

Bien sûr, elle était la seule à considérer qu'il s'agissait bien d'une telle lettre puisque cette dernière ne comportait aucune mention d'amour. Pourtant, pour elle, l'amour résonnait dans chaque mot, dans chaque coup de plume, tout comme il résonnait dans le cœur et dans l'âme de l'aumônier de Hope House et transpirait dans tous ses gestes.

Scott Murphy était en quelque sorte célèbre pour les merveilleux projets auxquels il encourageait les pensionnaires de la maison de santé Hope House à participer. Par exemple, chaque année ils cultivaient un potager et offraient les récoltes aux banques alimentaires des églises de la région. Et puis il mettait à contribution Luke et Lizzie, ses terriers, dont le rôle consistait à faire rigoler les pensionnaires plus âgés.

Hope ignorait pourquoi Dieu avait voulu que cette chose merveilleuse lui arrive, elle qui ne s'était jamais sentie jolie, même si on le lui avait souvent dit ; elle qui à l'âge de trente-sept ans n'avait jamais connu l'amour, même si elle l'avait toujours souhaité et que par deux fois elle avait pensé le vivre mais s'était trompée.

Peut-être allait-elle un peu trop vite. Après tout, elle n'était sortie que trois fois avec Scott Murphy.

– Alors, qu'est-ce que tu en penses ? demanda-t-il à Mule Skinner durant le petit-déjeuner au Grill.

– Ça m'dépasse, répondit Mule. J'vais certainement pas m'rendre à Wesley pour un déjeuner au prix exorbitant.

– Je l'ai croisé hier dans la rue et il a suggéré que nous le rencontrions au salon de thé.

– J.C. fréquente le *salon d'thé ?* répondit Mule en haussant les sourcils.

— En fait, il n'a pas encore eu le courage d'y aller — il apporte un sandwich maintenant —, mais il a dit qu'il irait si nous l'accompagnions.

— Percy n'apprécierait pas qu'on aille au bout de la rue.

— Exact.

Le propriétaire du Grill voyait ses clients comme sa propriété. Un repas en cachette dans un autre restaurant était difficilement toléré, deux constituaient une trahison ayant peu de chance d'être pardonnée.

— J'vous lance un défi, lança Mule.

Tout en réfléchissant, le père Tim trempa son pain rôti dans un œuf poché. Depuis l'achat de la crèche, il se sentait quelque peu téméraire…

— Je le ferai si tu le fais, dit-il en souriant.

À l'Oxford, accompagné de Fred, il déballait les dernières pièces et les alignait le long du mur du fond de l'arrière-boutique.

— Qu'en penses-tu ? demanda-t-il à Fred.

Examinant posément l'alignement, Fred réfléchit quelques secondes avant de répondre.

— Eh bien, M'sieur, on peut dire que la besogne est bien découpée.

Deux anges, dont un avec une seule aile. Un chameau à une oreille. Deux moutons sans queue et tout le troupeau d'un blanc mortel. Un âne peint tout en noir, yeux inclus, qui ressemblait à un morceau de charbon. Un berger assez bien rafistolé, à l'exception d'une main à deux doigts. Un autre berger d'un misérable gris métallique — peau, tunique, souliers et tout.

Les trois rois étaient tout aussi pitoyables. Lors de leur voyage à destination du nouveau-né qui, selon la plupart des experts de la Bible, avait dû prendre deux ans, l'un avait perdu son nez, un autre n'avait qu'une portion de couronne et tous semblaient avoir été plongés dans un bleu verdâtre industriel. À quoi avait bien pu penser Andrew ?

La tunique rouge vif et les vêtements orange de la Vierge étaient certainement à refaire, de même que les costumes des anges qui tous deux portaient des robes d'un affreux safran se distinguant à peine de la teinte de leur peau. Nul besoin de s'appeler Léonard de Vinci pour se rendre compte que l'ensemble nécessitait une rédemption, sauf en ce qui concernait l'Enfant, dont la statuette reposant dans la mangeoire avait été étonnamment épargnée et plutôt habilement peinte.

— Une sculpture sur bois, dit Andrew, qui examinait à la loupe une section de la petite pièce. Pas du plâtre, comme je le croyais, mais une peinture originale en surface avec des dorures incrustées. D'après l'usure de ces dernières, nous pouvons situer l'origine de la pièce entre le milieu et la fin du dix-neuvième siècle.

— Alors, qu'en pensez-vous ? s'enquit le père Tim, souhaitant être rassuré.

— Je pense que, dès que je recevrai des nouvelles de mon restaurateur en Angleterre, nous devrons nous mettre au travail… en commençant par le commencement !

— Ah ah ! dit-il, sentant une petite faiblesse aux genoux.

Plutôt nerveux, Mule et lui marchaient en direction sud vers le salon de thé. Cynthia Kavanagh savait ce qu'il allait y faire aujourd'hui et en rigolait déjà. Par la suite, tout le village allait pousser des oh ! et des ah ! à l'exception, bien sûr, de Percy Mosely.

Entre-temps, ils deviendraient Lewis et Clark, deux êtres en expédition pour sonder un vaste territoire inconnu.

— Tu seras Lewis, dit le père Tim, et je serai Clark.

— Quoi ?

— En plus, le moment est vraiment bien choisi ! Cynthia m'a dit qu'on servait maintenant de vrais repas au salon de thé, pas seulement des sandwichs fantaisie sans croûte. Il y a une soupe du jour et un dessert, des mets préparés dans leur propre cuisine.

Mule affichait un air sceptique.

— Pour essayer d'conquérir la clientèle mâle, que j'ai entendu dire.

— Et tu vois ? dit le père Tim. Ça marche.

Chère Hope,

J'étais si heureuse quand tu es née. Nous t'avons ramenée à la maison dans un petit ensemble blanc que j'avais tricoté.

Nous avons toutes souffert durant les années qui ont suivi la mort de ton père et vous, les filles, avez dû vous passer de bien des choses, sans jamais vous plaindre.

Tu te rappelles la fois où tu avais gagné le concours de pâtisserie et que tu m'avais acheté une alliance parce que j'avais perdu la mienne à la buanderie longtemps auparavant ? Je crois que je ne t'ai jamais assez aimée et j'en suis désolée. J'espère que tu me pardonneras, que tu en seras capable puisque tu affirmes connaître Dieu maintenant.

En plus de la maison, je vous laisse à chacune 5 000 $. La mère de ton père m'a légué un petit héritage auquel je n'ai jamais touché même quand nous en avons eu besoin pour tes études. J'ai toujours eu l'impression qu'un jour il te serait encore plus utile.

J'ai bien peur de ne pas m'en sortir, mais je ne veux pas que tu pleures. Vous, les filles, prenez bien soin l'une de l'autre.

Maman, qui t'aime.
Lettre dictée à Amanda Rush, infirmière

– J'ai oublié mes lunettes au bureau, dit J.C. Quelqu'un peut me lire ce qu'il y a dans ce menu rose ?

– Voyons voir. Mule ajusta ses verres. Salade au poulet avec raisins et noix, servie avec pointes de rôties.

– Pointes de rôties ? J'mangerai pas des pointes de rôties, encore moins un plat avec des raisins et des noix.

– Il y a une crêpe, dit le père Tim. C'est la spécialité de la maison.

– Qu'est-ce que c'est ? demanda Mule.

– Une galette fine enroulée contenant une garniture.

– Une garniture de quoi ? dit J.C. en s'essuyant le front avec une serviette de papier.

– Du poulet en lanières, dans ce cas-ci.

– Du poulet en lanières enroulé dans une galette ? Pourquoi en lanières ? Si Dieu avait voulu que le poulet soit en *lanières*...

– J'pourrais tout aussi bien avaler un pied d'table. J'peux pas manger ça. C'est contre ma religion. Qu'est-ce qu'il y a d'autre au menu ?

– Oh là là ! Voilà ce qu'il te faut, dit le père Tim. Ils ont de la plie !

– De la plie ! répondit J.C., dont le visage s'illumina.

— Filet frais de plie enroulé sur une garniture de canneberges du Maine. Tout un plat !

— J'ai pas confiance. Tout est enroulé autour de quelqu'chose d'autre. C'est pas pour moi.

— Regarde, dit le père Tim, de l'aspic ! Avec du céleri et des oignons. Avec un peu de mayo, c'est sûrement délicieux.

J.C. avait les yeux révulsés.

— J'ai toujours aimé l'aspic, déclara le père Tim.

— Tant mieux pour vous, lança J.C. Ça suffit, maintenant. Il y a un burger quelque part ?

— Nan ! Pas de burger… Attends… *burger bio à la dinde !* Voilà pour toi, mon ami.

Mule avait l'air parfaitement ravi.

— J'sors d'ici, dit J.C. en attrapant son porte-documents.

— Attends une foutue minute ! dit Mule. C'est toi qui as voulu nous rencontrer ici. C'était ton idée géniale.

— J'peux pas manger c'te nourriture.

— Eh oui, tu peux ! Commande n'importe quoi, on d'mandera à la cuisinière d'arroser ton plat de graisse.

– C'te cuisinière n'a jamais vu un bol de graisse, mais ça ira – juste pour une fois. J'mettrai plus les pieds ici.

– Bien ! dit Mule. Demain, on retourne au Grill et tout le monde s'ra content. Personnellement, j'aime pas trop les changements, mon estomac non plus.

– J'retournerai pas là pour laisser c'te sorcière me donner des ordres.

– B'jour, vous tous.

Ils se tournèrent et aperçurent une jeune femme portant un tablier, un calepin à la main. Le père Tim trouva son sourire éblouissant.

– B'jour, à vous, répondit-il.

– Je m'appelle Lucy. Je suis votre serveuse aujourd'hui.

– *D'accord* ! dit Mule.

- Qu'avez-vous choisi, Monsieur ? dit-elle en s'adressant à J.C.

– J'suppose que j'vais prendre la plie, grogna l'éditeur. Mais seulement si vous enlevez les canneberges.

– Pas d'problème. Le plat est accompagné d'une salade et d'un petit pain. Voulez-vous remplacer les canneberges par des pommes de terre au beurre ?

Le père Tim crut que J.C. allait fondre en larmes.

– Bien *sûr* ! s'exclama l'éditeur du *Muse*. Et est-ce que j'peux avoir du beurre avec le p'tit *pain* ?

– Oui, M'sieur. C'est servi avec du beurre.

– Alléluia ! s'écria Mule. J'vais prendre la même chose, mais pas d'beurre avec le p'tit pain.

– Moi aussi, dit le père Tim. Avec une portion d'aspic.

– Non, attendez, dit Mule. J'vais peut-être essayer les canneberges. Mais seulement si elles sont sucrées, comme à l'Action de grâce…

– Écoutez-le pas, intervint J.C. Apportez-lui c'que j'ai commandé.

Le père Tim ne mentionna pas à ses compagnons de table que Hessie Mayhew et Esther Bolick étaient assises de l'autre côté de la pièce, en train de les regarder, bouche bée.

– J'dirais, déclara Mule, tandis qu'ils marchaient d'un bon pas vers le nord sur Main Street, que, si elles veulent conquérir l'marché masculin, va falloir qu'elles changent les rideaux roses.

Il pensait qu'il fallait commencer par un mouton, peut-être celui à qui on avait peint un sourire grimaçant…

– Le rose n'est pas si laid, tout bien considéré. Notre chambre à coucher est rose.

– Vous m'faites marcher.

– Cynthia appelle cette couleur « terre cuite estompée ».

Il pourrait faire ses preuves avec les petites pièces…

– Rose, c'est rose, dit Mule. Elles pourraient au moins enl'ver les volants.

– C'est une idée.

Quel type de peinture allaient-ils utiliser ? Et quelles sortes de pinceaux ? Et puis, où allaient-ils se procurer de tels articles ? Il avait une foule de questions…

– Et p't-être remplacer la couleur des menus par celle, disons, d'mon chandail.

– Brun fade ? Je ne pense pas.

Ou peut-être devrait-il commencer par les bergers pour qu'ils puissent être mis en place le premier jour de l'avent…

– J'ai trouvé la nourriture assez bonne, dit Mule.

– Moi aussi.

Il lui faudrait beaucoup d'efforts…

– Mais c'est trop cher. Beaucoup trop cher. C'est pour ça qu'la population mâle ne fréquente pas c't'endroit. On est trop intelligents pour payer un filet d'poisson six et quatre-vingt-quinze.

– C'est ce que nous venons de faire.

Il imaginait le visage surpris de Cynthia – elle serait éblouie, foudroyée…

– Ouais, mais j'y r'tournerai pas. Et vous ?

– Peut-être.

– Eh bien, vous faites quoi le reste d'la journée ?

Que devait-il répondre ? Qu'il allait entreprendre la restauration de la crèche ? Il ne pouvait pas, pas plus qu'il ne pouvait dire que, durant la soirée, il travaillerait à ses essais. Mule Skinner n'aurait pu reconnaître un essai s'il en avait rencontré un dans la rue.

– Un peu de ci, un peu de ça. La routine, quoi.

– Moi aussi, dit Mule, qui ne voulait certainement pas révéler qu'il rentrait à la maison pour faire une longue sieste.

Il consulta sa montre. S'il se hâtait, il aurait le temps de se rendre chez Happy Endings puis de revenir à l'Oxford pour treize heures trente avant d'aller chercher Cynthia chez le concessionnaire automobile à Wesley.

– Vous avez des livres d'art avec des scènes de la nativité ou des ouvrages généraux sur les crèches, ou… quelque chose du genre ?

– Non, Monsieur, pas en ce moment, dit Hope, mais nous commençons à recevoir notre marchandise de Noël.

Margaret Ann, qui fouinait près du comptoir pour dénicher sa pitance, se leva et s'étira, puis alla se frotter contre lui et lui lécher la main. Même s'il n'avait pas beaucoup d'attirance envers les chats, ces derniers semblaient s'attacher promptement à lui.

– J'aimerais voir, par exemple, de quelle couleur pourraient être les robes des anges.

N'avait-il pas reçu littéralement des milliers de cartes de Noël par le passé, dont de nombreuses représentant des anges ? Oui. Mais se souvenait-il des détails subtils de leurs robes ? Non.

– Des robes d'anges, dit tout haut Hope en prenant une note. Quoi d'autre, mon père ?

– Tant qu'à faire, j'aimerais aussi voir les rois mages et les bergers. J'apprécierais jeter un coup d'œil sur quelques chameaux et quelques ânes.

– Vous créez un tableau à votre église pour Noël ?

– Un tableau, oui, mais pas nécessairement à l'église.

Dès le départ, il se rendait compte qu'il serait difficile de garder le secret. Il devait se montrer vigilant en toute circonstance, dire la vérité tout en évitant de se compromettre.

– Je crois savoir exactement ce dont vous avez besoin. Un beau livre d'art rempli d'œuvres illustrant la Sainte Famille et la nativité. En couleurs ! Je vous le commande ?

Les yeux de Hope brillaient derrière les verres de ses lunettes à monture d'écaille.

– S'il vous plaît. J'en ai besoin le plus tôt possible.

– Considérez que c'est chose faite, dit-elle en citant l'une de ses expressions : « Je vais le faire livrer en deux jours par avion. »

– J'en profite, Hope, pour vous dire à quel point Cynthia et moi apprécions votre excellent travail. Vous avez fait de Happy Endings une librairie dont nous sommes tous fiers.

Ses yeux s'emplirent de larmes et elle murmura :

– Merci.

— Je prie assidûment pour vous et votre sœur Louise, la rassura-t-il. Je suis désolé que vous ayez perdu votre mère.

— Merci, répéta-t-elle.

— Je vais prier pour vous.

— Oui.

Il tendit le bras au-dessus du comptoir, lui prit la main et la tint un instant.

Il feuilletait son agenda de la main droite et tenait une grosse tasse de thé chaud dans la gauche. Un vent froid s'était levé et faisait claquer une branche de l'érable rouge contre la gouttière.

Voyons un peu le détail. Il célébrait la messe à St. Paul dimanche prochain, puis à St. Stephen deux semaines plus tard. Il aurait bien demandé un peu d'aide à son ancienne secrétaire, mais elle était à Atlanta jusqu'à Noël pour prêter main-forte à sa fille qui vivait une grossesse à risque.

Les fêtes arrivaient à grands pas, période où Dooley reviendrait de l'université de Georgia et où son jeune frère, Sammy, qu'on n'avait pas vu depuis fort longtemps, viendrait les rejoindre à la maison jaune pour le repas de l'Action de grâce. Il s'appuya contre le dossier de sa chaise, ferma les yeux et se réchauffa les deux mains sur sa tasse.

Il se rappelait la première fois qu'il avait vu Dooley Barlowe — pieds nus, malpropre, cherchant un endroit pour « faire caca ». Il ricana. Comment aurait-il pu deviner que ce garçon rejeté, âgé de onze ans à cette époque et qui en avait maintenant vingt, changerait son cœur et sa vie à tout jamais ? Mais Dooley n'était pas le seul Barlowe rejeté — trois frères et une sœur avaient été abandonnés par leur mère et il s'était depuis longtemps donné pour mission de les retrouver tous et de reconstituer le nid familial.

À l'Action de grâce, quatre des cinq membres de la famille casseraient la croûte ensemble à la table des Kavanagh. Il ne restait plus qu'à trouver Kenny, et Dieu seul savait où il se trouvait.

Trois

Oncle Billy Watson se traîna jusqu'à la chaise près de la fenêtre de la cuisine et jeta un regard sur sa cour située à l'extrémité nord de Main Street.

Les gars de l'hôtel de ville étaient venus couper le gazon, puis avaient sauté dans leur camion et s'étaient enfuis avant même qu'il n'ait eu le temps de les appeler pour qu'ils viennent écouter une de ses nouvelles blagues. Il l'avait trouvée dans un magazine que Betty Craig avait apporté et durant la nuit, lorsque les ronflements de sa femme l'avaient empêché de dormir, il s'était exercé à la raconter.

Il regardait entre les volets du carreau supérieur.

Ces satanés malhabiles étaient passés dans la cour en coup d'vent, pis avaient laissé l'herbe coupée éparpillée en rangées. Une vraie misère ! Ces employés d'la ville qui v'naient entretenir la cour tous les trente-six du mois pis qui r'partaient sans ramasser les résidus !

Sa nouvelle blague, il l'aurait gardée pour lui !

Il porta une main à son cœur. Voilà qu'ça r'commençait et qu'il se débattait comme un poisson-chat sur une berge.

— Seigneur, vous l'savez, j'ai abandonné les gars. Mais vous, j'espère que vous n'm'abandonnerez pas. Amen.

Il mania la fenêtre et réussit enfin à la remonter d'une trentaine de centimètres, puis il se laissa tomber lourdement dans son fauteuil et appuya sa canne contre le mur. Il se dit que, s'il restait assis là assez longtemps, quelqu'un finirait bien par passer dans la rue et qu'il pourrait enfin raconter sa blague.

Mais l'problème, c'était qu'maintenant plus personne ne marchait. On aurait dit qu'tout l'monde possédait un satané véhicule et contournait le monument comme s'il allait assister à un pique-nique des démocrates. De nos jours, les pasteurs étaient à peu près les seules personnes qu'on voyait marcher — l'pasteur Kavanagh avec son gros chien noir et l'pasteur Sprouse avec son nouveau chien qui trottinait en oblique à la manière d'un crabe.

Soit que plus d'gens devaient s'procurer un chien, soit que plus d'gens devaient d'venir pasteurs.

C'était le mois d'octobre et les arbres avaient pris d'la couleur depuis qu'il s'était mis à pleuvoir. Bientôt ce serait l'Action de grâce, pis après, Noël.

Il se rappela les bas que lui et Maisie avaient l'habitude de recevoir. Il souhaitait qu'une fois de plus il aurait un bas avec une orange et un bonbon et p't-être même un p'tit cheval sculpté dans un nœud d'pin. Oui, m'sieur, ce s'rait un régal.

C'te année, il ne savait pas du tout quoi offrir à Rose pour Noël. Habituell'ment, vers cette période, il avait déjà réglé la question, c'qui lui laissait un bon deux mois pour fabriquer son présent à la main.

Pendant un bout d'temps, il lui avait construit des maisons d'oiseaux, vu qu'elle aimait tant ces derniers. Au fil des ans, il avait installé dans la cour à peu près seize ou dix-sept cabanes à oiseaux, mais la ville en avait brisé une quand les deux pièces du devant de leur maison avaient été annexées au musée.

« Pourrie ! » Voilà c'qu'avaient dit les gars d'la ville.

Un homme descendait la rue jusque chez Dora Pugh, ach'tait du bois, des clous pis tout l'reste et rev'nait chez lui pour bâtir une jolie maison d'oiseaux, peinturer la toiture et tout, fixer un p'tit goujon sous l'trou pour qu'l'oiseau ait une place où s'installer. Et qu'est-c'qu'arrive ? Ça *pourrit !* Il avait tout fait ça pour rien !

C'était bizarre la façon dont Rose se comportait. À Noël, elle avait les yeux ronds comme un enfant, elle qui tout au long de l'année était si méprisante envers tout c'que pouvait penser un homme.

Plus d'une fois, elle s'était rapprochée d'lui et l'avait serré par le cou de ses mains.

– Pourquoi tu m'serres comme ça, demandait-il.

– Parce que t'es Bill Watson ! répondait-elle avec son plus beau sourire avant d'ajouter :

– Ne me fais plus de maisons d'oiseaux, Bill Watson, tu m'entends ?

Au contraire de lui, Rose était instruite. Quand elle parlait, il l'écoutait et essayait de se souvenir de ses propos. Voilà pourquoi il ferait mieux de n'plus penser aux maisons d'oiseaux et d'trouver aut' chose comme... quoi ?

Avant qu' sa « patate » aille si mal, une année il avait canné l'siège d'sa chaise de cuisine. Une autre année, il avait fait une p'tite boît' à pain avec une poignée en forme d'écureuil.

Il se creusait le tête pour trouver quoi faire c't' année.

Pas la moindr' idée dans son ciboulot. Il secoua la tête pour voir si elle n'émettrait pas un drôle de bruit. P't-être ben qu' son cerveau était pourri.

Il finirait ben par trouver quelq'chose. Son vieux cœur s'rait content qu' Rose le serre encore par le cou.

Dans quelq'secondes, il allait s'lever et s'éplucher une Rusty Coat qui avait poussé dans l'vieux pommier noueux qu'il avait planté à l'arrière d'la maison quand ils s'étaient mariés. C'tait bon pour la santé, comme sa mère lui disait toujours. Et si y'avait une chose qu'il désirait plus pour Noël qu'un bas ou une étreinte de Rose, c'tait une bonne santé.

Tout d'abord, Hope pensa que ce devait être le thé bouillant au jasmin ou même la lettre de Scott. Puis, elle s'aperçut d'où venait cette sensation de chaleur qui lui faisait presque perdre le souffle. Même si elle connaissait ce genre de sensation pour l'avoir éprouvé lorsqu'elle avait récité cette prière avec George Gaynor au téléphone, elle se sentait quelque peu étourdie…

Elle replaça la tasse dans la soucoupe et tourna les yeux vers la fenêtre, le regard vague. Elle était de plus en plus certaine que cette sensation soudaine était en fait une idée… une idée qui se formait non seulement dans sa tête mais aussi dans son cœur et peut-être même, lui semblait-il, dans les profondeurs de son âme.

Tout bien réfléchi, il avait décidé d'amorcer l'avent en installant les bergers sur sa propre crédence. C'était certainement quelque chose qu'il pouvait faire sans dévoiler complètement la surprise.

— Que dirais-tu de commencer par les bergers ? demanda-t-il à Fred qui, malgré son jeune âge, s'était soudain transformé en vieux savant, un vrai grand sage.

Fred se frotta le menton d'un air songeur.

— J'm'attaquerais pas à ça dès l'début.

Il pointa le doigt vers les personnages alignés le long du mur.

— L'un d'eux a juste une moitié de main, l'autre s'est cassé un orteil et les deux ont l'air mauvais à cause d'la manière qu'ils ont été peints.

– Bien sûr, tu as raison.

Comment arriverait-il à reconstruire une main à l'aide de plâtre ? Il supposa qu'il pourrait utiliser l'autre main en guise de modèle. Mais tous ces doigts ! Et comment modifierait-il ces airs menaçants ? Il n'avait jamais peint quoi que ce soit auparavant.

Il sentit son cœur défaillir, de même qu'une sorte d'étouffement dans sa poitrine. Pourquoi était-il si terriblement enclin à se lancer sans le moindre filet de sûreté ?

– Y a-t-il quelque chose que je peux accomplir en, disons, environ une heure ? J'ai rendez-vous chez le dentiste à Wesley.

– J'pense qu'un bon nettoyage ne ferait pas d'tort. La peinture va mieux adhérer sur une surface nette. Ça me rappelle que M. Gregory a dit que vot' peinture et tout l'matériel arriveraient demain, et aussi les conseils du type anglais sur la façon d'procéder.

Des conseils sur la façon de procéder ! Il sentit distinctement un peu de tension s'envoler de sa poitrine. Demain, il consacrerait toute la journée à sa tâche. Il en avait fini de tâtonner une heure par-ci, une heure par-là.

Ils entendirent résonner la cloche de la porte avant.

— L'savon est sous l'évier, dit Fred en s'éloignant au pas de course.

Il s'accroupit pour prendre un savon couleur tourbe et lourd comme une brique, un savon qui dégageait une forte odeur. Par où commencer ? Par le commencement, bien sûr.

Il se dirigea vers les personnages, souleva l'âne de la première rangée et revint à l'évier. Une tête apparut dans l'entrebâillement de la porte. « Mon père ? »

Il resta figé, craignant d'avoir été découvert. Il avait oublié de mentionner à Fred qu'il préparait une surprise.

— Hope !

— Je viens de rencontrer M. Skinner et il m'a dit que vous vous trouviez à l'Oxford. J'ai donc pris quelques minutes pour vous apporter votre livre.

Elle le tenait serré contre sa poitrine, dans une couverture d'envoi.

— J'espère que c'est ce qu'il vous faut.

— Je suis sûr que oui. Hum, dites donc, Hope…

— Oh les beaux personnages ! Mon Dieu, combien y en a-t-il ?

— S'il vous plaît, Hope, ce travail est un secret. Personne ne doit être au courant… Je vais essayer de restaurer tout ce bazar... C'est une surprise pour mon épouse... une *surprise.*

– Oh, je vous promets que je ne dirai rien.

Les secrets n'avaient rien de neuf pour une libraire...

– Allez-vous *tout* retaper ?

– Oui, dit-il. Avec la grâce de Dieu.

– Me permettez-vous de déballer votre livre ? Je vois pourquoi vous en avez besoin !

– Eh bien, oui ! Merci. Moi, je vais simplement poursuivre mon travail.

Il se remit à respirer ; il pouvait faire confiance à Hope.

Tandis qu'elle déballait le livre, il plaça l'âne dans l'évier, fit couler de l'eau tiède, trempa le torchon qu'il passa sur le savon et s'affaira sur ce sinistre personnage.

– Voilà ! annonça-t-elle d'un ton joyeux. Je vais le tenir et tourner les pages.

– Bonne idée ! Plusieurs mains facilitent le travail !

Il récurait et l'eau devenait noire.

– Je me souviens que vous étiez intéressé par les robes des anges. Voici un bel ange, n'est-ce pas ? Sa tunique semble peinte de plusieurs nuances de bleu et, regardez, il porte une magnifique robe rose…

— Et il a des ailes blanches, par-dessus le marché ! Je pense que j'aime mieux les ailes blanches.

Ses propres anges lui paraissaient plutôt lugubres et quelconques dans leurs parures couleur safran.

Elle tourna la page.

— Voici un ange avec des ailes dorées. Je suis d'accord, mon père, le blanc est préférable. Il doit être pénible de voler avec tout cet or sur ses ailes.

Il adressa un regard à la libraire, en souriant.

— Je dois avouer que vous avez vous-même l'air angélique. En fait, radieuse serait le mot exact.

Il rinça l'âne et l'eau sale disparut dans le fond de l'évier.

Le visage de la libraire s'empourpra et elle osa dire :

— Merci, mon père. Moi aussi, j'ai un secret.

— Ah ah !

— Mais je ne peux vous en parler.

— Évidemment, puisque c'est un secret.

— J'ai besoin de vos prières.

Il terminait de sécher l'âne avec une serviette de papier.

— Considérez que c'est chose faite.

– Dieu vient tout juste de me donner la plus merveilleuse des idées.

– Cela lui arrive.

– Mais c'est effrayant. Je veux dire c'est effrayant et à la fois si… excitant que j'arrive à peine à dormir. Cela me paraît tellement énorme, et je n'ai jamais accompli de grandes choses.

Elle respira à fond et continua :

– J'ai toujours fait… de petites choses.

– Je comprends.

– Vous comprenez ?

– Oh oui.

– Cela me semble pratiquement impossible.

– Ah.

– Pouvez-vous demander à Dieu de me donner la sagesse ? Pouvez-vous lui demander de… me guider ?

– Je dois dire qu'en tant que nouvelle croyante, vous savez exactement quoi demander. Eh bien, oui, je vais prier pour vous.

– Je ne sais pas si j'en suis capable, dit-elle d'un air anxieux. Tout ce que je sais, c'est que je le désire… très fort.

Le père se tenait devant l'évier, l'âne dans une main.

— Ne vous inquiétez pas, Hope. En toute circonstance, faites connaître vos désirs à Dieu en Le priant, en L'implorant et en Lui rendant grâce, et Jésus-Christ remplira votre cœur et votre esprit d'une paix incommensurable.

— Merveilleux. Merci !

— Ce ne sont pas mes paroles. Quatrième épître de saint Paul aux Philippiens, versets six et sept.

— Quatrième épître, versets six et sept, répéta-t-elle. Je m'en souviendrai.

Elle regarda autour de la pièce, puis fixa son regard sur lui.

— Votre secret me plaît.

— J'ai le pressentiment que je vais aussi aimer le vôtre, ajouta-t-il en souriant.

— Je dois me sauver, mon père. J'espère que vous viendrez à notre grande vente !

Elle posa son livre sur la chaise avant de dire :

— Tous les titres commençant par la lettre O sont réduits de vingt pour cent.

— *L'odyssée* d'Homère ?

Il n'avait jamais lu ce récit. Quelle honte !

— Est-ce que l'article joue en ma défaveur ?

— Non, Monsieur. Le *l* apostrophe ne joue pas contre vous, mais nous avons vendu tous nos exemplaires ! À cause du collège, vous savez. Cependant, je peux vous le commander.

– Non, non. Autre chose, alors... *L'original cadeau de Noël* ?

– Albert Lawrence jr ?

– Exact.

– J'en ai un exemplaire.

– Parfait ! dit-il. Et n'oubliez pas : ne vous inquiétez de rien et priez pour tout.

Il avait entendu ce message du haut d'une chaire quelque part – tout un sermon en si peu de mots, une superbe exégèse de l'épître aux Philippiens.

Après le départ de Hope, il s'aperçut qu'une sensation de légèreté avait envahi son cœur.

Il avança vers l'alignement de figurines, déposa l'âne et saisit un berger.

Il s'éloignait du garage en sifflotant.

Le fait d'avoir retroussé ses manches pour donner un bain à sa troupe lui avait donné la confiance qui lui manquait. À mesure qu'il manipulait les personnages un à un, ces derniers lui semblaient de plus en plus familiers et moins intimidants.

En ouvrant la porte, il lança à haute voix une citation d'Horace. « Un travail commencé est un travail à moitié accompli. »

Un risotto ! Il reconnut immédiatement l'odeur.

C'était présentement un de ses mets préférés, mais ce plat se classait un cran en dessous d'un pain de maïs chaud à la croûte dorée, accompagné d'une bonne portion de beurre.

Il ne pouvait manger le risotto qu'à l'occasion et, malheureusement, en petite quantité. Les diabétiques l'avaient appris à la dure : le riz, les pâtes et les patates se changent en sucre dès qu'ils se métabolisent dans le courant sanguin.

Barnabas le suivit dans le corridor menant à la cuisine où Cynthia, en train de remuer le risotto, leva les yeux et s'exclama :

— Timothy !

Chaque fois qu'il voyait sa blonde épouse au fourneau, il se sentait inspiré — en plus d'être une auteure et une illustratrice célèbre de livres pour enfants, elle avait un talent pour la cuisine ; en outre, elle était très jolie, ce qui ne gâchait rien. Ça lui faisait aussi un petit velours de penser que le raffiné Andrew Gregory l'avait courtisée et que lui, un pasteur de campagne plutôt rustaud, avait réussi à gagner son cœur…

– Épouse-moi ! dit-il, debout derrière elle, le visage enfoui dans ses cheveux.

Elle jeta un coup d'œil à sa casserole et, satisfaite du résultat, replaça le couvercle.

– C'est gentil de votre part, mon cher Monsieur, mais vous arrivez trop tard. J'ai épousé un prêtre à la retraite et je suis très heureuse.

– La vie doit être aussi palpitante qu'en prison avec ce vieux type.

– Ce n'est jamais ennuyant, murmura-t-elle en se retournant pour lui donner un baiser sur la joue.

– Quoi, alors ?

– Paisible ! Vous voyez, la plupart du temps, il est parti ou il travaille dans son bureau. Il est toujours occupé à quelque chose, mon compagnon.

– À propos, comment évolue le projet de l'arbre des anges ?

– Ce sera le premier arbre œcuménique de Mitford et ce sera aussi la première fois que nous ne recueillons que de la nourriture pour le repas de Noël. Chaque famille recevra deux sacs de provisions, dont l'un contiendra une dinde. Tout sera entreposé à la caserne des pompiers et c'est de là que se fera la distribution.

– C'est excellent !

– Des centaines de familles de la région sont assurées d'avoir un repas délicieux, mais bonté divine... dit-elle avec chagrin.

– Bonté divine... ?

– Il faudra un effort monumental pour que toutes les églises réussissent à s'entendre.

– Je ne voudrais pas être à ta place !

– De plus, nous aurions dû commencer l'an dernier. Nous devrons travailler comme des fous pendant des semaines.

– Je suis fier de toi, dit-il en l'étreignant tendrement.

Risotto !

– Pouah, tu sens le savon fort. Qu'est-ce que tu as *fait* ?

– Un peu de ci, un peu de ça. La routine, quoi.

Elle l'observa en haussant les sourcils et questionna :

– La routine ?

S'il ne faisait pas attention, elle découvrirait son secret. Très bien alors, il lui donnerait un indice, mais seulement un, pas plus.

— Noël approche, tu sais.

Elle se mit à rire.

— Ce qui, bien sûr, explique tout !

Lorsque le téléphone sonna, il fit un effort pour y répondre rapidement. Après tout, ce pouvait être son garçon qui, de temps à autre, donnait de ses nouvelles le matin entre deux de ses cours.

Mon Dieu, il était huit heures ; ce ne pouvait être Dooley. Et pourquoi diable flânait-il encore au lit à cette heure ? Et où son épouse était-elle passée ?

— Allô ! dit-il, se sentant quelque peu étourdi.

— Mon père, c'est Andrew.

— Que puis-je pour vous, Andrew ?

La voix du maire résonnait comme s'il s'était trouvé dans un trou profond.

— Je sais que vous vouliez travailler à la boutique aujourd'hui. J'avais envie de vous donner un coup de main mais, malheureusement, je me suis retrouvé avec ce qu'on appelle couramment…

— Les microbes de Mitford ?

— Eux-mêmes. Il faudra donc se reprendre une autre fois, d'accord ? Je vous passerai un coup de fil quand je serai prêt ; Fred sera très occupé.

Andrew éternua.

— Que Dieu vous bénisse ! dit le père Tim.

Il alla tout droit à son fauteuil à oreilles et s'y laissa tomber. Il venait de se rendre compte que ses idées étaient confuses, que sa tête refusait de fonctionner. Il y avait aussi une sorte de gargouillis dans son estomac.

Non ! Absolument pas.

Il refusait qu'il en soit ainsi. Il n'en était *pas* question ! Il secoua faiblement le poing dans les airs.

Il s'adossa afin de reprendre son souffle, encore perturbé par le brusque réveil. Soudain, il bondit hors de son fauteuil et s'élança vers la salle de bain.

La porte était verrouillée.

— Je ne peux pas sortir, Timothy. Je ne me sens pas bien !

Il dégringola les marches et se précipita dans le cabinet de toilette. Il n'était pas trop tôt.

— Salut, ma jolie ! dit Lew.

– Oh, bonjour chéri. Je suis contente d'entendre ta voix. J'montais l'souper d'maman. J'te rappelle tout à l'heure. J'veux que son repas reste chaud, c'est son plat favori – les bâtonnets de poisson de Miz Paul avec un peu de compote de pommes, pas trop sucrée.

– D'accord.

Il ne lui dit même pas « je t'aime », ce qu'il faisait habituellement en terminant la conversation. Il raccrocha tout simplement. Il était crevé à la suite de sa journée à servir de l'essence et à baratiner avec tout un chacun. Il allait se diriger vers une maison vide et s'écraser devant une télé ne diffusant que trois chaînes. Ce n'est pas qu'il eût envie de s'apitoyer sur son sort, mais elle servait à sa mère des bâtonnets de poisson chauds pendant qu'il réchauffait une boîte de fèves au lard Bush sur un poêle dont seulement deux brûleurs fonctionnaient.

Combien de temps encore vivrait-il ainsi ? « Marié mais vivant comme un célibataire ! » se plaignit-il dans le sombre corridor.

Rien n'avait changé depuis la mort de Juanita. La salle à manger était encore remplie de tout un bric-à-brac, entre autres un sapin de Noël artificiel, un père Noël qui baissait son pantalon au son d'une boîte à musique, sans oublier des boîtes de carton vides empilées jusqu'au plafond et assez de décorations pour faire couler un chalutier. Le four ne chauffait pas, le thermostat chauffait trop et sa femme vivait avec sa mère. Depuis la mort de Juanita, sept ans auparavant, tous les soirs de sa vie il entrait dans une cuisine vide, puis dans un lit vide. Pour quelle raison en était-il ainsi, sacrebleu ?

Il soupira et contempla cette pièce qui s'était figée dans le temps, à l'intérieur d'une maison qui elle aussi s'était pétrifiée.

Soudain, il fut frappé comme par la foudre.

Ce soir, il sortirait.

Ouais, m'sieur ! Il irait à Wesley, comme la moitié de la population de Mitford le faisait le vendredi soir !

Mais d'abord il irait chez Wendy's manger un hamburger au bacon et au fromage suisse...

La totale ! Une grosse portion de frites, un Coke format géant et tout le tralala.

Puis, il déambulerait dans les allées du Wal-Mart pour s'acheter une télé et un magnétoscope.

Après, il s'arrêterait pour déguster deux boules de Rocky Road dans un cornet gaufré. Sur le chemin du retour, il louerait quelques vidéos. Il ressentit une forte décharge d'adrénaline.

Lundi, il appellerait le câblodistributeur local pour s'abonner à toutes les chaînes, et ce, peu importe ce qu'il en coûterait. Il capterait la chaîne Disney, le réseau des sports, les vieux films et tout le reste.

Il se rendit au vestiaire près de la porte arrière et enfila son gilet molletonné, en remonta la fermeture éclair et se coiffa d'une casquette.

Ouais, m'sieur, à la bonne heure ! Ce n'était pas tant une épouse qui lui manquait, mais bien une *vie* !

Quand Earlene le rappellerait après avoir servi le repas de sa mère, elle se demanderait où il était. Il était toujours à la maison quand elle téléphonait. Il fouilla ses poches à la recherche de ses gants. « Je *sors,* Earlene ! cria-t-il vers le plafond de la cuisine. Je sors, sors, *sors !* Laisse un message ! »

Parmi les ingrédients variés et nombreux d'un mariage réussi, l'un des préférés du père Tim était le fait d'avoir quelqu'un avec qui partager la maladie. Après tout, les malheurs n'arrivent jamais seuls.

Assise avec son chat, Violet, sur les genoux, son épouse se moucha et le regarda, les yeux rougis et les paupières tombantes.

– Je n'ai jamais entendu parler d'un microbe à la fois viral *et* bactérien. Je croyais qu'un seul malheur arrivait à la fois.

– Je pense que c'est cette particularité qui a valu leur nom aux microbes de Mitford.

– De toute façon, j'ai enfin pu savoir comment on se sentait lorsqu'on est affligé de ce fléau pernicieux.

– Et alors ? dit-il, allongé sur le canapé, épuisé.

– On a l'impression qu'on vient de manger une portion de pouding à la banane de Miss Rose qui n'aurait pas été réfrigérée depuis une semaine et qu'on est en route pour l'urgence à l'arrière d'une fourgonnette qui, durant un rude et long hiver, aurait abrité sept chiens-loups russes qui, pauvres bêtes, avaient la gale…

Il soupira. En plein dans le mille.

– *Et puis,* il y a cet horrible mal de tête lancinant, et nos yeux qui sont comme de petits trous remplis de verre émietté, quelque chose de semblable aux tessons mortels d'une bouteille de Coke qui aurait été écrasée par un gros camion filant à vive allure sur l'autoroute 95…

– Vers le nord ou vers le sud ?

– Sud.

Il souleva péniblement la tête.

— Je ne m'étais jamais représenté ce fléau de cette manière, dit-il.

Il se tenait à la fenêtre de la chambre à coucher, regardant au-delà des toits vers First Baptist et admirait le régiment de couleurs automnales qui se frayait un chemin vers l'est jusqu'à Little Mitford Creek.

Les érables étaient l'une des plus grandes fiertés du village et, comme prévu, ils faisaient ce qu'ils avaient à faire ; ils déployaient leurs splendeurs en brisant tous les records précédents.

Magnifique !

Il ne voyait que le sommet de ces arbres honorables, mais c'était suffisant pour lui montrer ce qu'il manquait. Mauvais sort ! La plus belle période de l'automne lui échappait et, par-dessus le marché, son projet s'embrouillait…

— Les arbres sont-ils beaux ? demanda Cynthia, encore au lit.

— Aujourd'hui, ils seront probablement à leur summum, dit-il sur un ton nostalgique.

Ils allaient manquer le spectacle des couleurs ! Pourtant, personne ne le manquait.

– Nous devons aller à Little Mitford Creek, Timothy, et prendre des photos. Je l'ai fait tous les ans depuis que je vis à Mitford.

– Mais nous sommes encore malades, protesta-t-il en se traînant vers le lit dans lequel il se laissa tomber lourdement. Je me sens comme la bouteille de Coke sous les roues de ton gros camion qui file vers le nord…

– Le sud ! Nous allons nous emmitoufler jusqu'aux oreilles et nous porterons des verres fumés pour que personne ne voie notre mine épouvantable. Je vais enfoncer mon chapeau de feutre vert et tu pourras revêtir ton machin qui te transforme en un prêtre de *Barchester Towers*.

– Sommes-nous obligés d'y aller ? se lamenta-t-il bien qu'il détestait les jérémiades.

– Oui, mon chéri, nous le sommes.

Elle tira un mouchoir de la poche de son peignoir et se moucha en disant :

– Manquer les érables, ce serait comme manquer la reine dans un défilé. Si nous passons deux jours de plus dans cet état misérable, une tempête pourrait très bien faire tomber les feuilles et tout serait perdu.

– Donne-moi dix minutes, dit-il. Je ne me brosse même pas les dents.

Même s'ils s'efforçaient de se tenir à l'écart de la foule qui s'affairait avec des appareils photo, ils entendirent malgré eux ce que disaient Madge Stokes et Fancy Skinner.

– Depuis *quand* ? demanda Fancy, tout enveloppée dans sa veste en fourrure de lapin rose retombant sur un pantalon capri extensible.

– Trois jours, répondit Madge, toute pâle et faible.

– *Trois jours ?* Ma foi, tu es encore *contagieuse* ! Éloigne-toi de moi, *s'il te plaît*. Tu as attrapé les *microbes* de Mitford et, après seulement *trois* jours, tu te promènes çà et là en nous respirant *en plein visage !*

– Va chez le diable, marmonna Cynthia dans son col de manteau.

Fancy se détourna de Madge Stokes, qui avait pâli davantage, et se faufila à travers la foule.

– Voilà comment se *comportent* les gens de nos jours ; ils sont malades comme des *chiens* mais plus personne, vraiment plus *personne,* ne reste au *lit* à boire beaucoup de *liquide*. Ils courent tous au *centre commercial* ou à l'épicerie pour *tousser* sur le *chou !*

Puis, ils revinrent à la maison avec leur rouleau de film Fuji bien rempli.

Quatre

– Regarde-moi ça, dit Percy. C'est la photo que j'ai prise, là-bas.

Le Main Street Grill avait organisé son propre concours de photos – le mur à droite de la porte était recouvert d'images des érables de Mitford, des documents traduisant un large éventail de talents.

– Tu vois, l'brouillard ? D'après moi, ça apporte un… un…

– Une ambiance mystérieuse ! dit le père Tim.

– C'est c'que j'allais dire. Voyez, ici c'est l'commerce de Mule et Fancy. C'est trop sombre à gauche a dit Velma, comme si quelqu'un s'était tenu dans sa propre ombre.

– C'est un pouce, en fait. Qui a pris cette photo ? Celle qui est complètement en haut.

– Lew Boyd.

– Lew possède un appareil photo ? Selon moi, ce n'est pas trop son genre.

– Tout le monde a un appareil photo.

– Superbes couleurs. Et voyez comment la lumière éclaire le gazon. Combien d'inscriptions jusqu'à maintenant ?

– Treize. J'ai mis une affiche dans la fenêtre. J'vais la laisser s'déchirer jusqu'à la fin d'la s'maine prochaine.

– Quel est le grand prix ?

– Un repas gratuit pour deux.

– Une bonne affaire.

– Le mardi seulement, et la personne qui gagnera devra réclamer son prix avant la veille de Noël, sinon pas d'cigare.

– Qui sont les juges ?

– Velma et moi.

– J'espère sincèrement que vous n'allez pas récompenser les gagnants avec votre spécial du mardi.

Bien sûr, les gésiers frits de Percy constituaient un prix…

– Ils pourront commander c'qu'ils veulent, dit Percy. Jusqu'à une certaine limit'.

– Quelle limite ? demanda-t-il juste pour vérifier.

– Un plat principal, une boisson et un dessert chacun. Au fait, pas d'machin numérique ni d'photocopie couleur, juste des épreuves glacées au format régulier avec un nom inscrit à l'endos.

– Je crois que je vais m'inscrire, dit-il.

Percy ajusta son tablier.

– J'ai entendu dire que vous, Mule et machin-chose êtes allés au salon de thé pour bavarder comme une bande de femmes.

– C'est vrai ! dit-il, en se glissant dans l'alcôve du fond.

Il y eut un bref silence pendant que Percy se demandait s'il allait poursuivre le lapin ou le laisser s'échapper.

– Alors, qu'est-ce que vous allez prend' ?

– La même chose que d'habitude.

– J'aimerais mieux que l'ciel me tombe sur la tête plutôt que d'faire des œufs pochés c'matin.

– À la fin de décembre, tu n'auras plus jamais à pocher un œuf de ta vie. Alors, prends sur toi, mon ami.

Percy sourit, un spectacle rare et étonnant.

– J'pars d'ici avant la fin d'décembre. On ferme boutique la veille de Noël, juste après l'dernier client.

– *La veille de Noël ?*

Tout allait trop vite…

— Amen ! dit Percy, qui parlait rarement le langage liturgique.

À la suite d'une autre discussion au téléphone avec Helen, Hope avait ouvert son cœur à Scott Murphy la veille, au cours d'un repas à Wesley. Scott lui avait tenu la main et avait prié pour elle, juste là, dans le restaurant.

Reconnaissante et frémissante, elle était revenue chez elle et s'était installée avec un bloc-notes afin de mettre ses idées sur papier avant d'écrire à Edith Mallory et soudainement les mots s'étaient mis à débouler sur la page.

À la fin, le texte reflétait exactement ce qu'elle voulait dire.

Elle recopierait sur une feuille ivoire cette missive hâtivement rédigée et l'enverrait par courrier recommandé — ce qu'elle n'avait jamais fait auparavant avec quelque document que ce soit.

En écrivant cette lettre, elle se demandait si elle devait mentionner ou non les terribles blessures subies par Mme Mallory, des blessures qui la faisaient parler dans un langage si confus que même ses propres médecins n'arrivaient pas à la comprendre.

Par contre, si elle ne faisait pas référence à une telle tragédie, elle pourrait passer pour insensible ou indifférente.

Ou encore, elle ferait allusion à la rumeur selon laquelle Mme Mallory pouvait maintenant communiquer — lentement et péniblement, toutefois — avec Ed Coffey, l'homme qui, depuis de nombreuses années, la conduisait dans une Lincoln noire. Une autre rumeur racontait que ses pansements à la tête lui avaient été récemment enlevés.

En posant ce geste redoutable et excitant, elle avait l'intention de n'y voir que les aspects positifs.

Chère Mme Mallory, inscrivit-elle au haut de la feuille ivoire…

J'ai été très heureuse d'apprendre que votre état s'était amélioré dernièrement et j'ai confiance que nous continuerons d'entendre de bonnes nouvelles à propos de votre rétablissement.

J'ai également confiance que vous approuverez à cent pour cent la proposition suivante.

Comme vous le savez peut-être déjà, mon employeuse de longue date, Helen Huffman, a récemment averti votre mandataire qu'en raison de son commerce florissant en Floride, elle ne renouvellera pas le bail à votre édifice Porter pour sa librairie connue depuis longtemps sous l'appellation Happy Ending Books.

Cependant, je désire ardemment reconduire ce bail à mon nom et en assumer toutes les responsabilités en tant que nouvelle propriétaire et gérante de Happy Ending Books.

Mme Mallory, je vous parle de femme d'affaires à femme d'affaires et je crois que vous apprécierez ma franchise.

Le loyer mensuel est présentement de 950 $ en plus des frais de services publics mais, durant les six premiers mois, je ne pourrai payer que 800 $, en plus des comptes.

À compter du premier juillet, je pense être en mesure de verser la somme mensuelle totale de 950 $, ainsi que les frais de services publics, sans autre forme d'exception.

Entre-temps, je vais repeindre les murs intérieurs qui sont en piteux état et faire installer une toilette neuve de même qu'une nouvelle serrure à l'entrée principale, le tout à mes frais. Selon les estimations que j'ai en main, ces améliorations coûteront environ 2 500 $; ainsi, vous profiterez d'un bénéfice de 1 600 $ dès le début de notre relation.

Je vais travailler fort, Mme Mallory, afin que vous soyez fière de compter Happy Ending Books parmi vos locataires les plus responsables. Toute ma vie, j'ai aimé les livres et cultivé le goût d'apprendre. Les mots me manquent pour vous exprimer ma joie d'entreprendre une mission qui, je crois, enrichit infiniment notre collectivité.

Si jamais ma proposition vous intéresse, il me fera plaisir de vous faire parvenir immédiatement des références.

Veuillez agréer, Madame, l'expression de mes sentiments les meilleurs.
Hope Winchester
Happy Ending Books

Elle avait mis un effort considérable à transcrire la lettre à l'encre sans faire d'erreurs. Aurait-elle dû plutôt s'adresser aux mandataires de Mme Mallory ? Elle ne connaissait pas grand-chose aux mandataires. Et puis, aurait-elle dû parler d'elle-même en tant que femme d'affaires ? « Oui ! » Helen avait insisté. « Absolument ! »

Elle sentait une lourdeur entre les épaules, comme si elle avait transporté une barque le long de Little Mitford Creek.

Elle plia la lettre de deux pages et la glissa dans une enveloppe qu'elle cacheta, puis songea une fois de plus aux moyens par lesquels elle espérait rendre réel ce rêve impossible.

L'argent se ferait rare, très rare, puisque Helen prendrait cinquante pour cent des profits durant la première année en guise de paiement pour l'inventaire et les recettes tirées du secteur des livres rares. En plus de la location et des comptes à payer, cela faisait beaucoup de dépenses. Comme revenu, elle ne disposait que de l'héritage surprenant laissé par sa mère, des quatre mille sept cents dollars qu'elle avait épargnés depuis le collège et, bien sûr, des cinq cents dollars qu'elle économiserait chaque mois si…

Elle tira une autre feuille de papier de la boîte.

Chère Mme Havner,

Grâce à vos nombreuses gentillesses, j'ai vécu heureuse dans mon petit nid au-dessus de votre salon de thé.

J'ai toujours apprécié les jeudis à cause de l'odeur de vos délicieux petits pains à la cannelle qui parfumait mon logis, qui devenait du coup un véritable foyer !

C'est avec un profond regret, mais aussi avec une joie sans borne, que je vous écris pour vous annoncer que je ne renouvellerai pas mon bail cette année…

Elle soupira doucement.

Évidemment, elle ne pouvait envoyer cette lettre avant d'avoir reçu la réponse de Mme Mallory, une réponse qui, elle en était certaine, arriverait dans quelques jours.

Elle jeta un regard vers le billet plié que lui avait remis Scott et qui reposait près de la boîte de papier à lettres. Lorsqu'il l'avait raccompagnée à sa porte la veille, il le lui avait offert tel un horoscope sorti d'un biscuit chinois.

– Cela t'aidera, avait-il dit en souriant. Je te le promets.

Elle se rappela que l'homme lui avait effleuré la main du bout des doigts…

Elle déplia le papier et relut l'inscription écrite à l'encre bleue.

Philippiens 4,13 : Je peux tout en Celui qui me rend fort.

Une boîte blanche contenant un gâteau avait été livrée pendant que lui et Cynthia faisaient des courses chez Local.

— Qu'est-ce que c'est ? demanda-t-il à Puny.

Il pria le ciel que ce ne fût pas l'un des gâteaux à la marmelade d'Esther. Il ne voulait pas connaître la frustration de ne pouvoir le manger au complet. Il appréhendait même l'idée de n'en avoir qu'une pauvre petite tranche…

— Un gâteau aux fruits ! répondit-elle, d'un air dégoûté. Les gens apprendront-ils un jour que vous n'pouvez *manger* c'genre de choses ?

— Eh bien, Cynthia peut en manger, de même que Dooley et toi. C'est un beau présent !

— M. Cunningham l'a fait ; c'est vot' cadeau d'Noël. Il l'a apporté tôt afin que vous puissiez commencer à l'imbiber d'bourbon ou d'une aut' boisson. Il a dit qu'il s'occupait seulement d'la cuisson, pas d'l'arrosage.

Leur bonne, qu'il affectionnait comme un membre de la famille, était restée chez elle jusqu'à ce que la contagion passe. Dans plus ou moins cinq mois, elle accoucherait d'une autre paire de jumeaux.

– Tu es rayonnante, Puny. Comment vont mes nouveaux petits-enfants ?

Elle sourit.

– Agités !

– Continue ce que tu étais en train de faire. Je vais m'étendre quelques minutes dans le bureau.

– J'prépare une tarte avec des pommes Sadie Baxter et du faux suc'. J'vais essayer de ne pas trop faire de bruit.

– Oh, tu peux faire du bruit. Fais retentir les chaudrons et les casseroles ! Ça met de l'atmosphère.

Une tarte ! Il se rendit à son bureau en sautillant.

Cynthia était déjà couchée dans leur lit. À la suite des jours interminables avec les microbes, parcourir deux pâtés de maisons pour se rendre au magasin et en revenir lui avait paru comme traverser la Manche à la nage.

Son bon chien se hissa sur le canapé et se posa la tête sur les pieds de son maître.

– Barnabas, murmura-t-il avant de s'assoupir, attends de voir ce qui s'en vient.

– Des moutons ! Des bergers ! Un chameau ! Des anges ! Tu n'en croiras pas tes yeux!

— M'dame Kavanagh, j'peux donner un peu d'fruits confits à Timothy ?

— Deux cerises ! a-t-il dit, les deux mains tendues.

Pourquoi Peggy devait-elle toujours demander la permission à la mère ? Si elle avait décidé d'elle-même, il aurait pu obtenir presque tout ce qu'il voulait.

— S'il te plaît, demanda-t-il avec insistance.

— D'accord, mais seulement deux.

Il voulait aussi des raisins et une noix du Brésil, mais il les demanderait plus tard. Il aimait beaucoup d'ingrédients du gâteau aux fruits que sa mère et Peggy préparaient chaque année, mais il les préférait *en dehors* du gâteau plutôt que *dans* celui-ci.

Le café filtrait dans la cafetière posée sur la cuisinière électrique et le couvercle d'un chaudron tintait ; il percevait l'odeur de la cannelle et de la vanille…

À la table de la cuisine, sa mère écrivait consciencieusement sur une feuille de papier bleue.

— Il y aura les Anderson, bien sûr, disait-elle à Peggy, et puis les Adam.

— Et l'juge ?

— Il va sans dire qu'il est invité. Nous le recevons toujours.

– L'révérend Simon ?

– Oui, je pense qu'il a une bonne influence sur Timothy.

– Et pis les Nelson ?

– Oh oui, évidemment, les Nelson.

– Les fils Nelson vont glisser sur vot' ramp' d'escalier et grimper dans vos rideaux, avait marmonné Peggy.

Il n'aimait pas les fils Nelson ; ils étaient toujours deux contre lui.

– Tommy peut-il venir ?

Son père n'avait jamais permis que Tommy entre dans leur maison, mais à Noël...

– Non, mon chéri. Je suis désolée. Peut-être une autre fois.

Sa mère avait froncé les sourcils et contemplé la pluie qui battait contre les fenêtres. Peggy remuait de la pâte dans un bol et secouait la tête.

– Que devrions-nous servir, Peggy ? Nous voulons certainement tes merveilleux petits pains à la levure !

– Oui, M'dame, et m'sieur Kavanagh voudra son pâté à l'ambroisie et aux huîtres.

Sa mère avait souri, le visage enflammé.

– Toujours !

— Et la fameuse *bûche de Noël*[1] ! avait dit Peggy. C'est toujours un gros succès.

— *Bouze* de Noël ? avait-il demandé, assis par terre et s'amusant avec un camion en bois.

— Bû-che, avait répondu Peggy. « Bu » comme « bureau ». *Bû*-che.

— Bou.

— Non, mon ange.

Peggy s'était penchée et avait collé son visage contre le sien. Il aimait la peau de Peggy, exactement de la couleur du pain d'épice.

— R'garde mes lèvres… *bu*…

— *Bu*…

— Maintenant, r'gard' bien comment j'prononce. Dis chhhhh, comme quand un bébé dort.

— Chhhhh.

— C'est ça ! Bû-chhhhh.

— *Bu*… chhh.

— Les deux ensemb', maint'nant. *Bu*chhhhh.

— *Bu*chhh !

— C'est bon, eh M'dame Kavanagh ?

— Très bien !

Peggy s'était relevée et remise à mélanger la pâte.

— Écoute-moi maintenant, mon p'tit agneau. Je vais t'apprendre à le dire au complet.

1. En français dans la version originale.

– *Bûche de Noël !*

– Y parl' français, M'dame Kavanagh !

Leur joie l'enthousiasmait. Il avait obtenu sans difficulté des raisins et une noix du Brésil pour avoir parlé en français.

– Qu'est-ce que ça veut dire, maman ?

– C'est une pâtisserie qui a la forme d'une bûche et qui se mange à Noël. Quelques jours avant Noël, tu pourras nous aider à appliquer le glaçage. C'est un travail très spécial.

– C'est à cause du glaçage que le gâteau ressemble à une bûche ?

– Oui, tu te souviens peut-être de celle de l'an dernier, même si tu étais petit à l'époque, ajouta sa mère avec un sourire et une lueur scintillante dans les yeux.

– Ouais, et maint'nant, j'suis grand.

– T'es pas grand, avait grogné Peggy, t'es mon *bébé !*

Il détestait quand Peggy disait cela.

Il ne faut pas vendre la peau de l'ours avant de l'avoir tué.

Elle avait entendu ce dicton toute sa vie. Cependant, en ce qui concernait l'affaire pour laquelle elle priait et qu'elle croyait possible de réaliser, elle voulait que les choses se mettent tout de suite en branle.

Pourquoi, durant les jours d'attente, n'agirait-elle pas comme si le projet allait se réaliser ?

Si rien ne se concrétisait, la grande déception qui suivrait serait son châtiment et elle l'accepterait. Mais, si rien n'arrivait, que ferait-elle ? Elle ne voulait pas quitter Mitford, mais pas du tout.

Si Edith Mallory refusait de lui céder le bail, le camion de déménagement de Helen viendrait chercher toute la marchandise pour l'emporter en Floride, laissant le magasin libre pour un futur locataire inconnu. Une seconde, elle se vit, au milieu de la vaste pièce vide…

Mais, non ! Elle ne devait pas entretenir de telles pensées. Comment, alors, pouvait-elle commencer à agir comme si son rêve allait se réaliser ?

— Mon Dieu…, soupira-t-elle.

Qu'importe ce que l'avenir lui réservait, la grande pièce à l'étage qui servait d'entrepôt avait besoin d'être nettoyée. Elle respira profondément et se permit à nouveau de caresser les merveilleuses possibilités.

Dans cette pièce remplie de lumière, il y avait suffisamment de place pour ses trois bibliothèques.

Elle pourrait utiliser les rideaux de dentelle de sa mère pour orner la fenêtre donnant sur Main Street — sans même avoir pris de mesures, elle savait qu'ils feraient l'affaire.

Le tapis Aubusson pâli, qui pendant des années avait été sa possession la plus splendide, serait magnifique sur le plancher de vieux pin.

Des clients étaient entrés, ce qui ne l'empêcha pas de monter rapidement les marches pour regarder la pièce une fois de plus et ses trois jolies fenêtres, pas encore lavées toutefois.

En descendant, elle fit une pause au milieu de l'escalier.

Comment chaufferait-elle le grenier de ce vieil édifice branlant ? Subitement fatiguée, elle soupira et s'assit sur une marche.

Soudain, une vérité proverbiale lui apparut : la chaleur monte.

— Oh là là ! lança le père Tim dans un véritable cri de joie.

— Qu'est-ce qu'il y a ? demanda Andrew, levant les yeux d'un livre sur la nativité.

— Vous voyez, en sablant la surface, cette horrible couleur devient presque agréable à l'œil.

— C'est bien vrai ! Je suis d'accord. C'est précisément la couleur du potage à la citrouille de ma gentille épouse lorsqu'on y ajoute un soupçon de crème. Pas mal du tout. Et j'aime la façon dont la dorure ressort sur la manche.

— Pensez-vous que nous pourrons nous en tirer avec le sablage, sans devoir peinturer ?

Il est toujours permis de rêver.

— Nous ne pouvons le savoir avant d'avoir examiné chaque pièce, mais je dirais que non. Ce serait trop facile. Laissez-moi m'occuper d'un personnage.

Andrew déposa le livre. Il examinait un ange quand Fred entra dans la pièce.

— Que diriez-vous si j'm'y mettais moi aussi ? demanda Fred, l'air empressé.

— Voici une feuille de papier sablé, tire-toi une chaise, dit Andrew. La cloche nous avertira si nous avons des visiteurs. Nous ne verrons probablement pas âme qui vive avant l'arrivée du décorateur de Charleston à deux heures.

— J'crois que j'vais choisir un mouton. Mon grand-père él'vait des moutons et me laissait nourrir les orphelins au biberon.

— Super, dit le père Tim. Vas-y !

— Ce personnage a vraiment un beau visage, dit Andrew. Qu'allons-nous faire pour son aile cassée ?

— Je ne pense pas pouvoir y faire grand-chose.

Honnêtement, il craignait de fabriquer une partie aussi importante avec du plâtre — un matériau qu'il ne connaissait pas encore bien — et il pourrait en résulter une bosse difforme plutôt qu'une gracieuse aile ployée. Et puis, il y avait les *plumes* qu'il serait obligé de créer dans le plâtre mouillé. Non, de toute évidence, c'était le cours Nativité 101 et non l'atelier de Rodin.

— Par surcroît, cette aile manquante représente parfaitement la condition humaine !

— Une pensée plutôt ésotérique, dit Andrew, le menton dans le creux de la main. De toute façon, je suis d'accord avec vous !

Pendant que les hommes s'affairaient consciencieusement, le père Tim humait l'odeur du café frais qui se préparait sur la plaque chauffante ; il entendait le chuintement persistant du papier sablé et *Pastorale* de Beethoven diffusée par la radio d'Andrew.

Un sentiment de bonheur se répandit en lui, telle une source jaillissant de nulle part.

Quand Scott l'appela cet après-midi-là, Hope lui confia ses pensées. Il lui dit qu'il passerait après la fermeture de la librairie si elle le désirait, pour lui donner un coup de main. Voulait-elle une pizza toute garnie ou seulement avec du fromage ?

D'après ses plus lointains souvenirs, elle avait toujours mangé sa pizza avec du fromage seulement.

— Toute garnie ! répondit-elle, soudain envahie d'un bonheur indescriptible.

— Eh bien, nom de…

Avis Packard venait de fermer The Local et se dirigeait vers sa voiture. Il leva les yeux vers le nord, le long de la rue éclairée par le crépuscule. Il ne se rappelait pas avoir déjà vu de la lumière au-dessus de la librairie.

En promenant Barnabas près du monument, un peu après vingt et une heures, le père Tim fit la même constatation.

Il resserra son foulard de laine qui le protégeait du vent frais d'octobre tout en se disant que cette lumière égayait la rue déserte et silencieuse.

Cinq

En ce premier dimanche de l'avent, sous le reflet platine d'une demi-lune, le jour se leva par une journée claire et terriblement froide.

De temps à autre, des rafales de vent sifflaient entre les maisons pour secouer volets et gouttières. Une fumée émergeait des cheminées des lève-tôt et, poussée par un vent d'ouest glacial, elle s'élançait vers l'est.

À la maison jaune dans Wisteria Lane, le père Tim fit sortir Barnabas dans la cour, puis siffla pour le rappeler à l'intérieur. Ensuite, il lut l'office du matin dans son bureau et monta deux tasses de café à l'étage, où Cynthia lui montra la première porte (image pieuse) de leur calendrier de l'avent.

Appuyée contre des oreillers dans le lit, elle lisait à haute voix la supplication du prophète Isaïe.

– « Que du ciel émane la justice et que la terre porte un sauveur ! »

– Amen ! dit-il en lui tendant une tasse.

Il se pencha pour l'embrasser sur le front.

– Je te souhaite un heureux avent, ma chérie.

Elle posa la paume de sa main sur la joue de son époux.

– À toi également, très cher.

– J'ai installé ta petite crèche.

– Oh, cette vieille babiole.

– À quatorze ans, tu cousais des robes pour des pinces à linge !

Il s'agissait d'une des choses les plus attachantes qu'il connaissait à propos de son épouse.

– Bof, chéri !

– Je veux te remercier pour une chose.

Il s'assit près d'elle et prit une gorgée de café noir et fort.

– Je veux te remercier de m'avoir encouragé à prendre ma retraite.

– Tu résistais tellement.

– Je sais. Je crois que c'est le cas de la plupart des gens. J'étais constamment épuisé. Je n'ai jamais su comment me reposer ou faire une pause ni comment refaire le plein. Je pense qu'enfin Dieu m'enseigne une leçon à ce sujet.

– Hoppy a dit que, si tu n'avais pas arrêté, ta santé en aurait beaucoup souffert.

– J'aurais voulu passer les quelques dernières années à apprécier ma retraite plutôt qu'à y résister. Maintenant, c'est ce que j'ai l'intention de faire, dit-il en souriant. J'abandonne mon recueil d'essais. C'est trop casse-pied.

– Alléluia, chéri ! Tu avais toujours l'air malheureux quand tu travaillais à un essai.

– J'ai cru que je devais m'occuper à des tâches importantes, que je n'avais pas le droit de me reposer. Bien sûr, je souhaite rester disponible pour toute mission qu'Il voudra me confier.

– Regarde plutôt les missions qu'Il t'a permis d'accomplir à de si nombreuses chaires et les vies qui ont été transformées lors de cette merveilleuse année à Whitecap, et puis la découverte de Sammy…

– Ah, très bien, dit-il quelque peu démonté. Il n'avait aucun talent pour faire ce genre de compte, mais son épouse était plutôt douée.

– Je dois te faire un aveu à propos des essais – je viens d'en prendre conscience au cours des derniers jours. Je croyais que je devais en quelque sorte me montrer à la hauteur de ma talentueuse épouse.

— Tu n'as pas besoin.

— Je n'ai pas besoin.

— Je t'aime, dit-elle.

— Je t'aime aussi.

Ils restèrent silencieux un moment, réconfortés, tandis que le vent soufflait du côté nord de la maison.

— Nous avions l'habitude de raconter ce que nous ferions quand je serais à la retraite, dit-il. Tu as toujours voulu voyager et, à vrai dire, je commence à en avoir le goût, moi aussi.

— Et ton mal de l'air ? Il a disparu ?

— Plusieurs de mes peurs semblent disparaître.

— Tu te souviens comme je craignais que tu me quittes ? demanda-t-elle. Cette crainte s'est complètement dissipée.

Il souleva sa tasse en signe de salut joyeux.

— À la fin de notre année à Meadowgate, aimerais-tu aller en Irlande ?

— En Irlande ! J'adore l'Irlande !

— Voir le château de la famille Kavanagh, flâner avec les cousins et les cousines, nettoyer les pierres tombales... ce genre de choses.

Son cœur s'allégeait.

Elle déposa son café sur la table de chevet et ouvrit ses bras à l'homme qu'elle avait toujours cru sage et romantique, vif de corps et d'esprit, généreux et brave, même quand les autres en doutaient ; c'était l'âme la plus vraie qu'elle eût jamais connue.

Au bout d'un chemin de gravier, dans une maison blanche à charpente de bois qui était entourée de trois acres de pins, Lew Boyd s'assit dans son lit et bâilla. Il n'était pas certain de vouloir aller à l'église ce matin-là.

Si sa mémoire était bonne, cet après-midi aurait lieu la procession annuelle de l'avent. Une horde de gens du pays partirait de l'église épiscopale, marcherait tout en chantant des hymnes et des cantiques jusqu'aux églises presbytérienne et méthodiste, pour assister à un bref service dans chacune d'elles. Toute la troupe aboutirait à First Baptist pour se régaler de cidre chaud, de biscuits et bien d'autres délices.

S'il se présentait à l'église ce matin, les plus vieux le presseraient de se joindre aux marcheurs en raison de sa voix de basse. On pourrait croire qu'une église de village, surtout baptiste, comptait plus d'un pauvre bougre à la voix grave. Il n'avait pas de chance ; il serait l'heureux élu. Plus d'une fois, ils avaient tenté de l'attirer dans la chorale afin de l'amener régulièrement à l'église, mais il n'était pas assez stupide pour mordre à l'hameçon.

Dans le brouhaha extérieur, il entendit la poubelle heurter un côté de la maison.

Un homme ne pouvait pas chanter dans ces bourrasques et par une température aussi glaciale ! De plus, il avait travaillé dur six jours d'affilée. Pourquoi aurait-il envie de marcher ? À bien y penser, maintenant qu'il possédait le câble, il n'avait qu'à s'enfermer à la maison et à attendre que tout soit terminé. Bien sûr, Earlene allait lui demander s'il venait à l'église…

Il consulta sa Timex. C'était à peu près l'heure où elle montait le petit-déjeuner de sa maman et redonnait du corps aux oreillers pour que sa mère puisse s'asseoir dans son lit et manger les petites bouchées qu'Earlene lui donnait. Puis, sous peu, la voisine arriverait et Earlene partirait pour l'église, mignonne comme tout, en transportant la tarte à la crème qu'elle avait préparée la veille pour la pause-café.

Voilà comment était Earlene. Elle se souciait des gens. Près de quarante-cinq ans auparavant, quand il avait gagné un ruban bleu lors du concours de ramassage de cornichons, Earlene avait couru vers lui et l'avait embrassé, puis elle s'était enfuie à toute vitesse, à moitié morte de honte de son geste.

Jamais il n'avait oublié ce moment, même quand il était marié à Juanita.

– Pourquoi t'as fait ça ? lui avait-il demandé quand lui et Earlene s'étaient revus quelques années plus tard. J'te connaissais à peine.

– J'savais pas qu'j'allais le faire avant d'le *faire !* avait-elle répondu en rougissant. J't'aimais en secret et j'étais tellement... *contente* que tu gagnes !

Dans son cœur, il en voulait parfois à Earlene d'être absente. Toutefois, ce sentiment le dégoûtait, car elle ne méritait pas un tel traitement. Elle s'était engagée à prendre soin de sa faible mère ; de plus, elle voulait travailler encore quelques mois à la fabrique de farine afin de bénéficier des prestations de retraite. Elle l'avait averti dès le début que les choses se passeraient ainsi ; il avait accepté ses conditions et il l'avait épousée.

Puis, il y avait ses sœurs qui disaient que si sa mère apprenait qu'elle allait se marier, elle en mourrait. Mon Dieu, il ne voulait surtout pas tremper dans ce genre d'affaire. Exception faite du père Tim, il gardait le secret sur son projet qui prenait forme. Il savait comme tout le monde que les nouvelles se répandaient vite et que celle-ci, si elle était connue, se rendrait directement à Knoxville dans le temps de le dire.

Le week-end prochain, il prendrait congé pour aller la voir. Il resterait chez sa vieille tante Bess, comme d'habitude, et ferait quelques petits travaux pour cette parente âgée, par exemple réparer la marche du haut de sa galerie et ajouter une tablette dans son garde-manger.

Le soir, la voisine d'Earlene viendrait prendre la relève auprès de la vieille dame et il amènerait son épouse dans un bon restaurant, peut-être pour manger un « pré et marée ». Il tressaillit presque de bonheur en imaginant qu'il l'aidait à monter à bord de son nouveau camion et qu'il lui donnait un gros baiser.

Ils s'installeraient du même côté de l'alcôve et se tiendraient la main. Puis, ils essaieraient de ne pas évoquer à quel point il était difficile de vivre ainsi. Et, misère, il ne dirait certainement pas, comme il l'avait déjà fait à une occasion : « Chérie, tu crois que ta p'tite maman va vivre encore bien longtemps ? »

Non, m'sieur, il ne referait pas la même erreur. Il ne voulait pas être pendu par les pieds.

Il respira l'air froid de la chambre. La nouvelle cafetière avec minuterie avait démarré dans la cuisine.

Après avoir bu deux tasses d'huile à moteur et avalé quelques Pop-Tarts, peut-être passerait-il la journée étendu dans son lit à regarder les Titans écraser les Giants de New York.

Bang. La poubelle heurta la gouttière de la galerie.

– Allez, les Titans ! cria-t-il.

Vers dix heures, le vent s'intensifia. Les feuilles qui étaient tombées lors d'une forte pluie de novembre étaient propulsées dans l'air vif et frais comme une volée de cailles effrayées.

Dans Main Street, une écharpe rouge se détacha des épaules d'une personne qui se rendait à l'église et s'envola dans les airs, plongeant et remontant tel un cerf-volant chinois avant d'atterrir sur l'auvent vert du Sweet Stuff Bakery.

Les Kavanagh, en route pour assister au service de dix heures à l'église St. Paul de Wesley, observaient le vol étonnant de l'écharpe rouge.

– Ce ne sera pas une procession, mais plutôt une *course* de l'avent, dit Cynthia.

– Il se peut que je quitte la procession un brin plus tôt cet après-midi.

— Vraiment ?

— Et il se peut que je sois un peu en retard pour le dîner.

— Et pourquoi donc ?

Il sourit, gardant les yeux sur la route.

— Noël approche, tu sais.

Elle le regarda d'un air rayonnant.

— Ce qui, bien sûr, mon cher, explique tout !

Viens, Jésus que nous attendons depuis si longtemps,
Né pour libérer ton peuple ;
Délivre-nous de nos peurs et de nos péchés,
Laisse-nous trouver la paix en Toi.
La puissance et la consolation d'Israël,
Espoir de la terre entière que Tu as créée ;
Désir cher de toute nation,
Joie de tout cœur qui souhaite ardemment…

Les marcheurs chantaient à pleine gorge, inspirés par le service à la chapelle méthodiste, au moment où ils tournaient sur Main Street en direction nord. Ils approchaient de la caserne d'incendie lorsque Lew

Boyd aperçut le père Tim qui se faufilait rapidement à travers la procession… en se dirigeant vers le sud.

— Vous allez dans l'mauvais sens ! cria Lew, pensant que le père Tim ignorait qu'ils revenaient vers First Baptist pour déguster du cidre chaud et tout le tralala.

— Un saint avent ! clama le père Tim.

Il leva une main gantée pour saluer Lew et, poussé par le vent, poursuivit son chemin.

De la fenêtre au-dessus du Happy Endings, Hope Winchester observait le convoi de marcheurs se dirigeant vers First Baptist ; ils étaient agrippés à leur partition comme on s'agrippe à la vie.

Levez la tête, au-delà des immenses barrières ;
Regardez, le Roi glorieux nous attend ;
Le Roi d'entre les rois approche ;
Le Sauveur du monde est parmi nous !
Ouvrez grand les portes de votre cœur ;
Faites-en un temple de recueillement…

Elle était contente d'entendre presque tous les mots, aimant surtout « Ouvrez grand les portes de votre cœur. »

Dans cette musique qui flottait vers elle, elle fut frappée par une voix profonde et sonore, de toute évidence capable d'harmoniser toutes les autres. Elle en chercha la source, mais ne la trouva pas. Elle allait se détourner de la fenêtre au moment où quelqu'un leva les yeux vers elle et la salua.

Contente d'être remarquée, elle rendit le salut et resta à contempler les casquettes et les queues-de-pie battant au vent et disparaissant sous l'auvent vert.

Elle s'apprêtait à descendre l'escalier mais s'arrêta un instant pour examiner la vaste pièce, qui était maintenant libérée des débris accumulés durant plus de deux décennies. Elle était vide, propre et bien éclairée par le soleil hivernal.

Cela faisait six longues semaines qu'elle avait envoyé la lettre, mais elle n'avait pas reçu de nouvelles de Mme Mallory, ni d'Helen d'ailleurs. Mme Mallory avait probablement l'intention de louer l'édifice à quelqu'un d'autre sans l'en informer. Si les déménageurs de Helen se présentaient pour venir tout chercher… elle devait commencer l'emballage immédiatement. Seule la marchandise de la vente de Noël pourrait attendre jusqu'à la dernière minute.

Puis, elle devait envoyer la lettre à sa propriétaire, qui devait être mise au courant sans plus tarder…

Elle se rendit compte qu'elle se tordait les mains, une habitude qu'elle avait tenté de perdre sans succès.

Non ! Elle n'abandonnerait pas.

Même si parfois elle se sentait submergée d'inquiétudes, elle refusait de renoncer à croire à une issue heureuse.

Ne vous inquiétez pas, Hope, lui avait dit le père Tim, *mais en toute circonstance, en Le priant, en L'implorant et en Lui rendant grâce…*

— « …faites connaître vos désirs à Dieu, récita-t-elle à haute voix en descendant l'escalier rapidement, et Jésus-Christ remplira votre cœur et votre esprit d'une paix incommensurable ! »

Voyant Margaret Ann à ses pieds, elle la prit dans ses bras et la serra contre elle en flattant sa fourrure orange.

Elle allait devoir confier son secret à Mme Havner. Elle irait tout de suite la rencontrer pour discuter avec elle.

Puis, elle appellerait Louise pour lui annoncer qu'elle aménagerait probablement avec elle dans la maison de leur mère dotée d'un jardin envahi de roses trémières et de morelles à grappes…

Ensuite, elle téléphonerait à Scott pour l'inviter à manger un spaghetti aux boulettes de viande ce soir — le seul mets qu'elle savait préparer quand elle avait de la compagnie…

Son cœur cessa de battre momentanément à la pensée de cuisiner pour Scott et d'apprêter la table pour eux deux. Avec tout ce qu'elle avait à faire, cette seule pensée était de trop, mais elle se rappela comment elle se sentirait en sa compagnie — heureuse et apaisée.

Elle s'arrêta un instant et s'appuya contre le pilastre au bas de l'escalier. Le ronronnement rythmé de Margaret Ann résonnait dans son cœur. Même si elle n'en avait pas discuté avec Helen, toutes deux savaient que Margaret Ann trouverait un nouveau foyer chez Hope.

Malgré tout, pensa-t-elle, je dois continuer à croire à une issue heureuse, tout en me préparant à quoi qui puisse arriver.

Soudain, elle se sentit déterminée et soulagée, comme si un énorme poids s'était détaché de ses épaules.

— J'vais faire une liste et la vérifier deux fois, dit Fred.

Fred avait offert de lui donner un coup de main aujourd'hui, une offre qui ne serait peut-être pas valide pour les autres dimanches du mois.

— Vous avez vos cinq moutons, votre âne et vot' premier berger, dit Fred. Ça fait sept de prêts et à peu près une douzaine à entreprendre.

Le sablage et le nettoyage étaient terminés et les sept pièces préparées étaient alignées sur une étagère au-dessus de l'évier.

— Alléluia, dit le père Tim, en enfilant un tablier vert. Ah, ce que le temps file !

Il n'avait pas réussi à respecter son échéancier, c'est-à-dire à placer les bergers et tous les moutons sur le buffet aujourd'hui. À présent, son objectif consistait à installer toute la scène la veille de Noël.

Une odeur de café frais moulu émanait de la cafetière ; deux morceaux de tarte à la citrouille congelés depuis le repas de l'Action de grâce à la maison jaune dégelaient sur l'égouttoir de l'évier.

— Vous avez quat' brebis et un bélier à vous occuper. Vous voulez que j'continue à faire les moutons ?

— Continue à faire les moutons ! dit le père Tim. Et que Dieu te bénisse pour tes efforts !

Il retroussa ses manches et s'installa à sa table de travail, face à Fred.

— Depuis sept ans, j'ai l'impression que, chaque Noël, Dieu m'envoie un ange, une personne qui arrive juste au bon moment pour me prêter main-forte ou m'aider à franchir un obstacle. Je pense que tu es mon ange de Noël cette année et je t'en remercie.

Fred baissa la tête, intimidé.

— Et j'vous r'mercie, mon père de m'laisser participer à c'projet. Mon épouse est contente que j'm'occupe à l'extérieur. Elle a deux courtepointes à fabriquer.

— Tu peux m'appeler Tim.

— Oh non, M'sieur. J'peux pas.

— Pourquoi pas ?

— J'n'appellerais jamais un prêtre par son prénom.

— Donc, je dois t'appeler M. Addison ?

Fred se mit à rire.

— Non, M'sieur. Le ministère du Revenu m'a appelé comme ça l'an dernier, et depuis j'déteste le son d'mon nom.

– Qu'est-ce que je ferais si je devais peindre tout ce troupeau ? lança le père Tim en levant les bras. Je serais encore ici à Pâques !

– J'aime travailler à pocher, mais j'voudrais pas m'dépatouiller avec les *ailes* ou les *tuniques* – et encore moins avec la *peau ;* non, m'sieur, vous êtes l'expert d'la peau. Regardez-moi c'berger sur l'étagère ! On dirait qu'il est vivant !

Juste ciel, c'était vrai. Le père Tim fut surpris de constater que le berger qui au début avait paru affligé d'une horrible jaunisse avait maintenant un joli teint bronzé, ce qui était certainement naturel pour quelqu'un exerçant ce métier.

Par contre, la main brisée avait posé tout un problème. Lui, Fred et Andrew s'y étaient tous mis et cet effort collectif était apparent. Cependant, impossible de recommencer, la main était fabriquée et aucun d'eux n'était Michel-Ange.

Le père Tim souleva le second berger de l'étagère pour l'examiner, le retournant dans ses mains.

– Je crois que je vais commencer par la tunique. Des suggestions ?

Fred se gratta la tête.

— Il m'semble que les bergers devaient avoir l'air dépenaillés. Il paraît qu'ils couchaient sous des buissons ou des rochers, dans c'genre d'endroits.

— En réalité, les bergers des environs de Bethléem vivaient dans des cavernes, des lieux sûrs pour leur troupeau la nuit.

— Peut-être la couleur d'un sac en toile de jute ?

— Cela pourrait être difficile, dit Tim en respirant profondément, mais je vais voir ce que je peux faire.

Il retira un peu de peinture de trois tubes et mélangea les couleurs dans une soucoupe avec un couteau de plastique. Il aurait voulu s'y tremper les doigts, mais les résidus du glacis à l'huile s'enlèveraient difficilement et se dissimuleraient encore plus difficilement aux yeux d'une épouse curieuse. Il montra le contenu de la soucoupe à Fred.

— Qu'en penses-tu ?

— Vous avez opté pour la couleur de la toile de jute ?

— J'ai opté pour cette teinte.

— J'dirais un peu plus brun.

— Voilà !

Ils travaillèrent un moment en silence, oubliant le concert de Mozart à la radio.

– Ces queues sont pas mal plus longues que chez mon grand-père. On les coupait assez court quand j'étais jeune.

– Combien de moutons aviez-vous ?

– Quatre cents !

– *Oh Monsieur !* dit-il en citant Dooley.

– On élevait surtout des Dorset et quelques Blue Face. J'étais moi-même c'qu'on pourrait appeler un berger, du moins de temps à autre.

Le père Tim se dit qu'il devait avoir sept ou huit ans, le Noël où il avait décidé de reproduire ce que les bergers de Bethléem avaient fait.

Le révérend Simon, fervent érudit de la Bible et prêtre baptiste que sa mère aimait beaucoup, avait expliqué le passage de saint Luc à la classe d'enfants de huit à dix ans de l'école du dimanche. Le révérend Simon les avait tous alignés. C'était un homme imposant aux cheveux désordonnés, qui portait des lunettes qui lui grossissaient les yeux et lui donnaient un air effrayant. Quelqu'un avait dit qu'il s'était ruiné les yeux en lisant la Bible et qu'il en connaissait le contenu mieux que quiconque au monde. Il enseignait à cette classe comme il le faisait à la congrégation, avec des gestes extravagants et des pauses étudiées, ainsi qu'avec des chants impromptus entonnés avec une voix de baryton qui faisait vibrer les carreaux des fenêtres.

— Qui étaient ces bergers ? avait-il clamé en parcourant la petite salle de classe de ses gros yeux bruns à la recherche d'une réponse. Mais personne n'avait levé la main.

— C'étaient simplement quelques gars qui habitaient de l'autre côté de la colline ! Des garçons comme vous, Tom, et vous, Chester, et vous, Timothy ! Quand ils ont reçu le message de l'ange céleste, qu'ont-ils fait une fois remis de leur peur ? Ils n'ont pas discutaillé, ils n'ont pas remis au lendemain, ils n'ont pas fait frire du bacon, ils se sont dépêchés ! « Ils sont venus en toute hâte », nous dit saint Luc, ils sont venus à vive allure vers cette étoile éclatante afin de voir le Sauveur, cette merveille, pour expérimenter Sa gloire, pour observer Son mystère. Maintenant, les enfants, comment croyez-vous qu'ils ont voyagé ?

Même si le révérend Simon n'attendait pas vraiment de réponse, Mary Jane Mason, tremblotante, avait levé la main et nommé le seul moyen de transport qu'elle connaissait.

— Dans une Dodge Sedan ?

— Ma chère enfant, ils n'avaient ni Dodge Sedan ni Buick ; ils n'avaient ni mules, ni bœufs, ni ânes, ni charrettes, ni remorques. En fait, ils n'avaient pas de moyen de transport autre que leurs deux *pieds !*

Le révérend Simon avait soulevé un pied immensément grand dans une chaussure aussi noire qu'un bain d'étain, en guise de démonstration.

– En effet, ils auraient *marché* tous ces kilomètres jusqu'à l'auberge, très certainement *pieds nus...*

Le révérend Simon avait frémi perceptiblement. Il avait enveloppé ses larges épaules d'une cape imaginaire et avait fixé les enfants par-dessus ses lunettes en ajoutant :

– ... et dans un *froid faisant hérisser les poils...*

Il fit une longue pause, les regarda tour à tour et continua :

– ... dans un froid *faisant hérisser les poils,* par une *sombre* nuit *hivernale* !

Souhaitant surpasser les personnages statiques sculptés de la crèche et pénétrer en quelque sorte le miracle lui-même, il avait demandé à Tommy de marcher avec lui autour de l'étable la veille de Noël. Il était convaincu qu'un geste aussi risqué et dangereux équivalait véritablement au long voyage des bergers jusqu'à l'auberge.

— J'march'rai certainement pas autour d'une étab' la nuit, avait dit Tommy, et encore moins pieds nus.

— Mais les bergers, eux, ont dû le faire. Ils sont partis de leur pâturage et se sont rendus à Bethléem *en pleine nuit noire*.

— J'le f'rai pas, avait répété Tommy.

C'est alors qu'il avait pris son courage à deux mains. Après s'être revêtu d'un vieux drap qu'il avait noué à sa taille avec une corde à sauter, il s'était assis sur la marche du haut de la galerie pour attendre la tombée de la nuit. Il avait vérifié les pieds des bergers de la crèche et, à son grand soulagement, ils portaient des souliers.

Avant de retourner chez elle, dans la petite maison au bout du chemin, Peggy s'était arrêtée sur la galerie et lui avait caressé les cheveux.

— Ta maman dit qu'tu dois pas tarder à rentrer.

Il avait hoché la tête.

Au bas de l'escalier, elle s'était retournée pour le regarder.

— Et laisse pas mon bébé s'faire attraper par un fantôme.

Il avait entendu dire que la veille de Noël les animaux parlaient, ce qui était déjà assez effrayant. Il s'était demandé s'il entendrait leurs deux vaches parler dans l'étable. Cette pensée avait provoqué une drôle de sensation dans son estomac. Il n'arrivait pas à imaginer des vaches qui parlent ni ce qu'elles auraient pu se dire. Qu'arriverait-il si elles faisaient irruption en parlant pendant qu'il se trouverait là-bas, tout seul dans la noirceur ?

La peur lui avait laissé la bouche sèche, mais il voulait plus que tout au monde s'unir aux privilégiés qui avaient été les premiers témoins.

Son père s'était approché de l'escalier, apparemment ennuyé de voir son fils portant un drap pardessus ses vêtements et, pis encore, n'accomplissant rien de valable.

– Que fais-tu ? lui demanda-t-il.

– Je vais marcher autour de l'étable quand il fera noir. Il avait prononcé cette phrase plus fort qu'il ne l'aurait dû.

– Monsieur.

Son père l'avait regardé comme il le faisait souvent – l'air de ne pas le voir.

– Comme les bergers, avait-il dit, pressé de s'expliquer afin d'être compris.

– Les bergers ?

– Qui sont allés adorer l'Enfant-Jésus. Je sais qu'ils n'ont pas marché autour d'une étable, mais…

Dans le lourd ciel hivernal, une ou deux étoiles étaient déjà présentes, ainsi qu'une lune argentée. Quelque part près du clapier un oiseau chantait.

– Timothy…

Le ton de voix de son père avait soudainement changé ; ses yeux brillaient d'une tendresse que son fils n'avait jamais vue auparavant.

Son père l'avait contemplé quelques secondes encore, puis il avait monté les marches et était entré dans la maison.

Il était resté assis là, engourdi dans un mélange de joie et de confusion. En un bref instant saisissant, il avait compris que, finalement, il comptait et qu'il était peut-être même aimé. Son cœur s'était mis à battre plus vite et il avait eu peine à respirer.

Tandis que la brunante se transformait en noirceur, il avait prié une fois de plus, puis il était descendu dans le gazon gelé qui avait craqué sous ses pas comme des feuilles mortes.

D'autres étoiles étaient apparues. Il avait regardé au-delà de la toiture de l'étable et avait choisi une étoile brillante qu'il suivrait.

Il s'était approché de l'étable et en avait touché le bois argenté, non peint. Puis, il avait entendu des pas derrière lui. Il s'était retourné et, dans la lueur du crépuscule, il avait aperçu le visage de son père.

– Timothy…

Son père avait marché avec lui, en silence. Quand lui, Timothy, avait trébuché sur un seau abandonné, instinctivement il avait tendu la main et son père l'avait saisie et tenue dans la sienne. Puis, dans la fraîche noirceur veloutée, ils avaient poursuivi leur chemin autour de l'étable silencieuse, vers la maison où une lumière éclairait chaque fenêtre.

– La tarte est dégelée, dit Fred en insérant l'index dans la garniture.

– Pardon, qu'est-ce que tu dis ?

Timothy… Le souvenir de ce lien unique et surprenant avec son père avait pu se perdre durant des années, pour resurgir au moment le moins prévisible…

– La tarte est dégelée. Vous voulez du café ?

– Bien sûr, dit-il, la voix enrouée par l'émotion.

Il marchait vers la maison sur le trottoir désert, illuminé par un chœur d'anges. Formés de centaines de petites lumières, les anges rayonnaient sur chaque lampadaire, des deux côtés de leur modeste Main Street, lui conférant l'aspect d'un grand boulevard élégant.

Réserver des fonds du budget municipal pour un groupe d'anges avait été, selon lui, le plus grand accomplissement de leur ancienne mairesse, Esther Cunningham.

– Vous dev'nez aussi rare que des dents d'poule, dit Mule.

– Occupé, dit le père Tim en s'installant dans l'alcôve du fond.

– Vous m'en direz tant. Tout l'monde est occupé à ce temps d'l'année. J'prends le petit-déjeuner et le lunch tout seul maint'nant.

– Que fait J.C. ? Il se laisse mourir de faim ?

– On a lunché au salon de thé hier et la veille on a pris le p'tit-déjeuner.

– Tu viens de dire que tu manges tout seul maintenant.

– J'ai dit ça pour qu'vous m'preniez en pitié, dit Mule en souriant.

– Ça ne marche pas.

Le père Tim ouvrit le menu à un seul rabat. Il avait envie de quelque chose de différent aujourd'hui. Il en avait assez du thon sur une rôtie sans beurre.

– Vous savez quoi, dit Mule, j'vais vous laisser commander pour moi. Ça vous va ? Vous savez c'que j'aime, prenez c'que vous voulez !

– Je ne peux commander pour toi, mon ami. Tu n'es même pas capable de passer ta propre commande.

Mule haussa les épaules.

– J'ai aucune idée de c'que j'veux.

Voilà le hic ! En ce qui le concernait, il allait peut-être essayer la salade de tacos. Ou le fromage au piment doux sur du pain au blé entier…

– J'suppose que vous savez c'qu'il y aura dans c't'immeuble quand Percy partira.

– Nan. Je suis hors circuit depuis quelque temps.

– Un magasin de souliers !

– Bonne nouvelle !

– C'est c'que j'ai dit. Un homme devrait pas avoir à s'rendre dans une aut' ville pour acheter des souliers.

– Tu ne te rends pas dans une autre ville pour acheter des souliers, dit le père Tim. Tous tes souliers proviennent des ventes de débarras de Mitford.

– Un sou épargné est un sou gagné. Eh bien, qu'est-ce que j'mange ?

Mule se pencha vers l'avant en signe d'anticipation, tandis que Velma fonçait vers eux telle une corneille bondissant d'un pin.

– Laissez-moi lui dire c'qu'il va manger !

Elle baissa ses lunettes sur son nez, d'un air sérieux. Elle ne passerait pas toute sa journée à attendre une commande de Mule Skinner !

– Il va prendre un bol de soupe aux légumes avec un épi d'maïs chaud. Le plat du jour !

Mule jeta un regard sombre à Velma.

– Qu'est-c'qu'y a dans la soupe aux légumes ?

– Des légumes ! répondit-elle, les lèvres serrées.

– Attendez. Oh là là !

Le père Tim savait comment cela finirait.

– Apportez-lui un burger fromage et bacon, sans oignons, avec des frites et un Coke diète. Et…

Il se demanda s'il devait continuer sa phrase.

– Et… ? demanda Velma, le crayon suspendu dans les airs.

— Et je vais prendre la même chose ! dit-il en expirant.

Sans dire un mot, Velma ajusta ses lunettes et s'éloigna.

— Savais-tu, dit le père Tim, que l'Américain type mangeait plus de huit kilos de frites par année ? Puisque j'en ai commandé seulement deux ou trois fois au cours de la dernière décennie, je suppose que j'ai environ droit à quatre-vingts kilos.

— Y a juste un problème, dit Mule.

— Quoi ?

— Percy utilise la même graisse pour les frites et le poisson, et j'aime pas trop l'poisson.

— Eh bien, je me demandais comment J.C. fait pour monter à sa salle d'impression puisqu'il refuse de mettre les pieds ici ?

— Il passe par la fenêtre du palier.

— Il a plus d'un tour dans son sac !

— Il ouv' simplement l'carreau du bas, il s'faufile comme un voleur et monte les marches. À propos…

Mule avait l'air peiné.

— Fancy n'aime pas que j'mange du bacon.

— J'ai oublié de demander à Percy qui a gagné le concours de photos. Tu le sais ?

— Lew Boyd.

– Excellent. C'était une bonne photo.

– Et puis..., ajouta Mule.

– Et puis quoi ?

– Et puis, Fancy veut que j'diminue l'fromage. Ça constipe.

– Eh bien ! Si tu pouvais avoir tout ce que tu veux, qu'aimerais-tu recevoir pour Noël ?

– Tout c'que j'veux ? Peu importe le prix ?

– Exact.

– Une montre Rolodex !

– Ah ah ! dit le père Tim, tandis qu'arrivaient leurs plats, mieux présentés qu'à l'accoutumée.

Il était content que Cynthia soit sortie prendre le thé chez Olivia Harper lorsque Dooley téléphona.

– Salut, dit Dooley.

– Salut à toi, mon ami ! Quoi de neuf ? Quand arrives-tu à la maison ?

– Le vingt décembre.

– Nous avons hâte. J'aurai quelque chose à te montrer, mais tu ne devras pas en parler à Cynthia.

– Je promets que je ne lui en parlerai pas.

— Je restaure une vieille crèche — une vingtaine de pièces ! Des anges, des bergers, des rois mages, des moutons. Il y a dix moutons en tout, tout un troupeau !

— Tu sembles excité.

— Je le suis. C'est fantastique. Attends de la voir. J'en suis à peindre les bergers. Ensuite, ce sera le tour des anges.

— Ça m'a l'air difficile.

— Ça l'est.

Il se rendit compte qu'il souriait.

— Mais c'est… c'est *amusant*, dit-il après avoir réfléchi un instant.

— Garde-moi quelque chose à peindre, dit Dooley.

— Tu rigoles ?

— Non, je suis sérieux.

— Considère que c'est chose faite ! Tu as des nouvelles de Sammy ?

— Il m'a écrit une lettre. Je vais l'apporter pour que toi et Cynthia puissiez la lire. Il était très heureux de retrouver tout le monde à l'Action de grâce.

— Buck et moi irons lui rendre visite la semaine prochaine.

Buck Leeper était le beau-père de Dooley. Il avait été un coéquipier zélé dans la recherche des frères et de la sœur du garçon.

– Nous amènerons Poo et Jessie. J'espère que Sammy viendra à Noël.

– Ce serait formidable, dit Dooley qui semblait pensif… Je me demandais, peux-tu lui apporter tous les vêtements dans ma garde-robe, sauf mon chandail vert et le dernier jean que Cynthia m'a acheté ?

– Il est un peu plus grand que toi, mais ça va peut-être aller.

– Hum, ne prends pas le costume italien que Cynthia m'a fait porter à New York ni la ceinture suspendue à la porte.

– Compris.

Il y eut un bref silence.

– Papa ?

– Oui ?

– Est-ce que tu crois – je veux dire est-ce que tu crois vraiment – que nous finirons par trouver Kenny ?

– Oui ! dit le père Tim sans hésitation. Oui !

– Tu n'as pas abandonné ?

– Jamais ! Je ne sais plus que faire maintenant, mais Dieu m'est fidèle. Quatre sur cinq, mon fils !

Continuons de Le remercier de Sa providence… et de prier et de croire qu'Il nous conduira vers Kenny. Entendu ?

– Oui, Monsieur, dit Dooley. Entendu.

– J'ai réfléchi, dit-il en lui prenant la main.

Ils étaient étendus dans leur lit, regardant au plafond à l'endroit où brillait la lumière venant du lampadaire de la rue.

– Dis-moi.

– Durant toutes ces années, je me suis souvenu des moments difficiles avec mon père, de son indifférence envers ma mère, de sa froideur avec moi, de sa rage, de sa dépression et des nombreuses fois où il nous a fait de la peine.

– Oui, murmura-t-elle.

– Quand une personne passe toute une vie à se blesser et à faire du mal aux autres, il n'est pas facile de se rappeler ses bons côtés.

– Oui. Je sais.

– Je me souviens de la fois où il m'a regardé…

Sa voix défaillit et il demeura immobile un instant.

— Ce n'était qu'un regard, rien de plus, mais il m'a révélé tout ce que j'espérais savoir.

Il y eut un long silence.

— Puis, il a marché autour de l'étable avec moi.

À cet instant, il ne pouvait ni ne voulait empêcher ses larmes de couler.

— Raconte-moi, mon chéri.

Il lui raconta l'histoire.

De tout son cœur, de toute son âme, il tenterait de chérir le souvenir de ce moment avec son père, de cette heure à la fois sombre et lumineuse. Après toutes ces années, ce serait suffisant.

Ce serait enfin suffisant.

Six

Le père Tim ouvrit la quinzième porte du calendrier de l'avent et lut à haute voix une brève exégèse des versets du deuxième chapitre de saint Luc.

— « Et Joseph quitta Nazareth pour Bethléem, rejoindre Marie qui était enceinte. »

Cynthia feuilleta les pages de sa Bible afin de trouver la carte de la région qui s'étendait au sud de la mer de Galilée.

— De la Galilée au nord jusqu'à la Judée au sud, cela me semble une grande distance, Timothy.

— À peu près cent cinquante kilomètres. À dos d'âne, cela a dû prendre environ une semaine. Peut-être un peu plus, bien sûr, à cause de la grossesse.

— Je me demande ce qu'ils mangeaient.

— Ils achetaient probablement leur nourriture à des conducteurs de chameaux. Ils ne pouvaient pas transporter beaucoup de provisions.

– Une vaste partie de cette région est constituée d'un désert, n'est-ce pas ?

– Oui.

– Quel temps pouvait-il faire ?

– Froid, très froid, dit-il. Certains affirment qu'il faisait même trop froid pour que les bergers des environs de Bethléem soient dans les champs. Ils mettaient leurs troupeaux à l'abri vers octobre ou novembre.

– La naissance a donc peut-être eu lieu plus tôt, avant qu'ils ne quittent les champs ?

– Très probable. Toutefois, la tradition d'une naissance à la fin de décembre date de dix-huit siècles et je ne veux pas la contester.

– Mais enfin, s'ils ont voyagé en décembre, la nuit les températures devaient être très basses.

Son épouse soupesait cette affirmation en secouant la tête.

– Penses-y ! Toute cette misère à cause de *taxes !*

– Certaines choses, dit-il, ne changent jamais.

Harold Newland, le facteur, entra précipitamment chez Happy Endings avec un paquet de lettres retenues par un élastique.

– Un fardeau de moins ! dit-il en le laissant tomber sur le comptoir, près de Margaret Ann.

– Je vous offre une tasse de cidre chaud ?

Hope trouva à Harold un air las, pour ne pas dire plus. Probablement à cause de tous les catalogues, sans compter le fait que son épouse, Emma, se trouvait à Atlanta avec leur fille enceinte et qu'elle ne reviendrait qu'après Noël…

– Pas le temps de badiner ! dit-il, en rattachant sa courroie. Passez une bonne journée !

– « Merci, merci et encore merci ! » s'exclama Hope, citant Shakespeare.

Une carte postale était sur le dessus. Elle la vit immédiatement.

Magaret Ann surveillait le départ d'Harold, tandis qu'Hope retirait l'élastique du paquet et retournait la carte. Elle provenait de George Gaynor, connu à Mitford sous le nom de l'Homme dans le grenier. Après huit ans passés en prison et un bref travail chez Happy Endings, il était retourné au système carcéral en tant qu'aumônier.

Écrit en gros caractères, le message se lisait comme suit :

Chère Hope,

Continue de garder espoir[1].

Ton frère par le Christ,

George

Elle cligna des yeux pour retenir ses larmes. Elle tentait de garder espoir mais, chaque jour, c'était de plus en plus difficile.

C'était le 15 décembre et elle n'avait toujours pas reçu la réponse de Mme Mallory. Helen avait téléphoné aux mandataires de Mme Mallory au nom d'Hope. Ces derniers avaient affirmé ne pas connaître les plans de leur cliente en ce qui concernait cet immeuble particulier, un parmi bien d'autres à Mitford, en Floride et en Espagne.

Elle alla à la fenêtre donnant sur Main Street. Même si l'avenir paraissait aussi sombre que le ciel qui couvrait la ville, elle essaierait de se raccrocher aux éléments positifs et prometteurs de sa vie.

Les ventes du temps des fêtes avaient été excellentes et elle ne pouvait s'en plaindre ; Helen espérait tout comme elle qu'Happy Endings puisse rester à Mitford.

1. Hope signifie espoir en français.

Le père Tim connaissait maintenant son secret, ce qui était pour elle une source de grand soulagement. Il avait prié avec elle et avait accepté de lui rédiger une lettre de référence pour Edith Mallory, quand elle en aurait besoin. Elle avait été touchée qu'il dise « quand » et non « au cas où ».

Même si de nombreuses circonstances étaient prometteuses, elle se sentait épuisée. S'occuper du commerce de livres rares sur Internet, en plus de « voir à la boutique » comme disait Helen, avait été éreintant. Le soir, elle était si fatiguée qu'elle avait de la difficulté à faire une bonne nuit de sommeil. Helen lui avait brusquement rappelé que les choses ne s'amélioreraient pas lorsque la librairie lui appartiendrait. « Ce sera plutôt le contraire », lui avait-elle dit. Et quand pourrait-elle se payer de l'aide ?

En effet, elle n'avait jamais voulu devenir « gestionnaire » jusqu'à ce jour où Dieu lui avait donné cette idée étonnante de devenir propriétaire de la boutique.

Elle se rendit compte qu'elle se tordait pitoyablement les mains et les laissa retomber aussitôt. Pourquoi flanchait-elle si rapidement ? Elle devait se concentrer sur les aspects positifs, l'issue heureuse, comme elle l'avait appris la veille en lisant le texte aux Philippiens.

« ... tout ce qui est vrai, tout ce qui est honnête, tout ce qui est juste, tout ce qui est pur, tout ce qui est agréable... concentre-toi sur ces choses. »

Et surtout, mieux que tout, elle verrait Scott ce soir. Il viendrait directement après son travail et, dans la pièce vide au-dessus de la librairie, ils installeraient un arbre qu'ils décoreraient avec des lumières de toutes les couleurs.

Ensuite, ils traverseraient la rue ensemble et regarderaient vers la fenêtre extérieure donnant sur la pièce ; ils y verraient l'arbre scintiller et, par la suite, tout le monde du village pourrait aussi l'admirer.

Oncle Billy Watson se déplaçait d'un bout à l'autre de la cuisine, passant du fourneau au comptoir, et de ce dernier à la table.

Lui qui avait toute la misère du monde à marcher, voilà qu'il parcourait la pièce de long en large ! Où était sa foutue canne ? Comment avait-il pu la perd' sans quitter la maison ?

Il ne lui restait que deux s'maines pour trouver un présent pour Rose et aucune idée d'génie n'avait traversé son vieux cerveau usé. Le vide total !

Avec les années, il s'était lassé d'entendre c'que l'frère de Rose, Willard, lui avait offert.

Avant que Willard soit tué à la guerre en France, il lui avait donné une poupée, des robes avec d'la dentelle et des frissons, un manteau avec un col en fourrure de lapin, une p'tite charrette avec une chèv' pour la tirer, et encor' et encor' jusqu'à plus soif. Et puis, n'est-ce pas Willard qui lui avait donné cette *maison* où ils vivaient, toujours en manque de meubles.

S'il n'avait pas d'cadeau pour Rose ce Noël, ce s'rait la première fois en plus d'cinquant' ans. Pas question ! Plutôt que d'laisser ça arriver, il irait ach'ter un truc au magasin.

Il se rappelait la fois où il avait choisi l'présent de Rose au magasin. L'pasteur Kavanagh l'avait accompagné et l'avait aidé à acheter un manteau d'hiver à moitié prix, pis une paire de souliers rouges à talons hauts. Rose avait piqué une crise à cause des souliers et ne les avait jamais enfilés. Ils étaient encore exposés sur une tablette dans leur chambre à coucher, comme décorations.

Il ne se souvenait plus s'il restait encore des vingt cachés dans les piles de journaux dans la salle à manger. P't-être un ou deux, il n'était pas sûr...

— Bill Watson ! Arrête d'user notre linoléum neuf !

Sa femme se tenait à l'entrée de la cuisine, vêtue de son peignoir en chenille, la tête pleine de bigoudis. Il ne l'avait pas vue avec ces machins-là depuis un siècle. Elle avait l'air d'un porc-épic.

— J'essaie d'réfléchir dans ma *tête !* clama-t-il haut et fort pour qu'elle entende.

— Tu dis que j'suis *bête ?*

— Ça oui, mais *c'est pas c'que j'ai dit !*

— Parle plus fort, Bill Watson ! *Qu'est-ce que t'as dit ?*

— J'ai dit que j'essaye de *trouver ton cadeau d'Noël.*

— Mon cadeau de Noël ? As-tu dit mon *cadeau de Noël ?*

Le visage de son épouse s'illumina tel un arbre de Noël ; elle souriait comme une enfant, une merveille qu'il n'avait pas vue depuis belle lurette.

— C'est ben c'que j'ai dit !

— Tu parles, Bill Watson !

Elle trotta jusqu'à lui et l'embrassa sur la joue tellement fort qu'il bascula presque.

– C'est la meilleure de toutes les nouvelles du monde !

Il prenait de l'assurance et de la vitesse, et les choses allaient bon train.

Je suis capable ! pensa-t-il, surpris. Je suis capable ! Il n'était pas Rembrandt, mais il pouvait transformer un teint livide en quelque chose de crédible et, même si l'oreille de son âne n'avait pas de quoi alerter la terre entière, elle possédait un certain… panache.

Les débuts avaient été lents et fastidieux, entravés par toutes sortes de difficultés comme cinq jours de grippe et une ignorance complète de la nature du travail et de la façon de procéder. Mais actuellement, que diable, il avait pris son envol !

Non seulement c'était libérateur, mais aussi ce n'était pas trop tôt ! Moins de cinq jours avant l'arrivée de Dooley et moins de dix avant Noël ; lui et ses aides avaient encore beaucoup de pain sur la planche.

Il s'aperçut qu'il apportait pour ainsi dire son travail au lit et qu'il éprouvait des problèmes de sommeil. Après avoir passé des heures à planifier sa prochaine étape en fixant le plafond, il avait hâte de débarquer à l'Oxford, le lendemain matin.

Une bonne part de son excitation provenait probablement du fait de travailler avec ses mains. Sauf pour le jardinage et la cuisine, il s'était jusqu'à date surtout servi de sa tête et il vivait présentement une expérience tout à fait nouvelle. Il ne s'était pas senti aussi actif depuis des années.

À vrai dire, même s'il aimait passionnément célébrer la liturgie, il avait presque toujours redouté les moments d'élaborer un sermon convenable et utile ; il semblait passer beaucoup trop de temps à rêvasser, à déambuler de long en large, à implorer Dieu et à peiner pour que ses mots expliquent bien les Écritures. Puis, les jours où l'Esprit saint semblait l'abandonner à ses propres moyens, il livrait ces mots aux âmes dans l'expectative que ces dernières méritaient davantage que ce qu'il se sentait capable de leur donner.

Il se demandait s'il aurait dû ressentir un peu de culpabilité ces jours-ci parce que — pour parler carrément — il avait autant de plaisir.

Son épouse était au lit, feignant de lire. Cependant, elle le surveillait d'un drôle d'air tandis que, lui, assis dans la bergère, faisait de même.

Il faisait semblant de lire parce qu'il n'arrivait pas à se concentrer ; il pensait à l'ange à l'aile cassée. Pour la couleur de la tunique, il s'était inspiré d'une œuvre d'Adolphe-William Bouguereau ; il avait mélangé encore et encore la peinture jusqu'à ce qu'il ait obtenu un résultat qui avait reçu le consensus de l'arrière-boutique.

– Voilà ! s'était exclamé Andrew.

– En plein dans le mille, avait dit son coloriste en chef.

Le blanc était certainement la couleur idéale pour les ailes, mais il trouvait que le blanc pur était morne et froid, et qu'il avait besoin d'une touche de subtilité. Mais il était allé trop loin ; il avait été trop subtil. Il aurait voulu revenir en arrière et reprendre le glacis de l'aile…

Il avait pris plaisir à travailler ce personnage. Il aimait cette pièce qui, à cause de l'aile manquante, avait un effet particulier entre ses mains. Il en aimait aussi l'exquise sérénité du visage ; selon lui, l'artiste avait réalisé un travail impressionnant.

Le hic, c'était qu'il n'avait pas le temps de fignoler les détails ; il devait aller de l'avant…

— Chéri ?

— Je vous écoute, Madame Kavanagh !

— Je n'en peux plus.

— Et pourquoi donc ? demanda-t-il en levant la tête.

— De ne pas savoir ce que tu mijotes.

Elle pencha la tête d'un côté et le regarda en souriant.

— Tu sais que j'aime les surprises mais vraiment, Timothy, je ne pense pas pouvoir *attendre* jusqu'à Noël.

— N'y pense plus, jeune fille, tu ne tireras rien de moi.

— Toute cette peinture sur le pantalon que tu caches derrière la fournaise dans le sous-sol…

— Tu fouines derrière la fournaise dans le sous-sol ?

— Oui, mon père, j'avoue.

— Ah ah !

Il retourna à son livre. *Et vlan !*

— Et sur tes mains, aussi.

— Qu'est-ce qu'elles ont, mes mains ?

N'avait-il pas bien frotté afin d'enlever toute trace ?

– J'ai senti l'odeur, mon cher. La peinture à l'huile s'imprègne dans les pores de la peau. Tu peins quelque chose !

Que pouvait-il dire dire ? La curiosité n'est-elle pas un vilain défaut.

Vers neuf heures, en promenant Barnabas autour du monument, il vit l'arbre scintillant dans la fenêtre au-dessus de la librairie. Une lumière colorée se répandait sur l'auvent et se reflétait sur le pavé mouillé par la pluie.

Dans l'éventualité de tout perdre ce qu'on espérait avoir, illuminer un arbre était un acte de foi. Bravo, pensa-t-il, en enfonçant son chapeau et en remontant son col.

Il accéléra le pas, heureux d'être vivant dans cette rue silencieuse qui était éclairée par des lampadaires et où chaque vitrine resplendissait de promesses.

— « Il y avait dans le même pays… », disait sa mère.

— « Des bergers ! »

— Très bien, mon chéri. Et où vivaient-ils ?

— « Aux champs ! »

— Et que faisaient-ils ?

— « Ils montaient la garde pendant la nuit sur leur troupeau ! »

— Oui !

Sa mère était satisfaite. Il adorait lui plaire parce qu'il l'aimait plus que tout, même plus que Peggy. Il aimait aussi dire « montaient la garde » au lieu de « surveillaient ».

Elle avait passé des heures à lui enseigner l'histoire de la naissance du Christ, instillant en lui des images vives et émouvantes. Il se représentait un film où figurait un groupe d'animaux — les immenses chameaux avançant dans le désert, l'âne qui transportait probablement la Vierge Marie et à côté duquel marchait Joseph, les moutons, les vaches et les chevaux dans l'étable sentant le foin.

Et puis, pour couronner le tout, les êtres célestes.

Lorsque enfant il avait assisté à la lecture des passages de saint Luc, à deux occasions il avait entendu simultanément une multitude de voix révéler la proclamation. Même si les Écritures ne faisaient pas mention de chants, il était persuadé du contraire. En fait, la musique avait atteint une partie de son cœur et de son esprit, et le son de ce chœur magnifique était d'une beauté inimaginable.

Évidemment, il n'avait rien dit de ce qu'il avait entendu – comme s'il avait été dans son propre ciel, au-dessus de sa propre maison. *Gloire à Dieu au plus haut des cieux et sur la terre paix pour ses bien-aimés.*

Déjà à cette époque il s'était résigné à un simple fait : il y avait des choses qu'il ne pouvait partager avec personne, sauf occasionnellement avec sa mère qui, plus que quiconque, croyait en la pureté de son cœur d'enfant.

Il n'y avait aucun doute qu'il avait souvent été un gamin solitaire à l'imagination fertile mais il en était content, car peu importe ce qui méritait sa croyance, il y avait cru de toutes ses forces.

Voici qu'à six heures du soir, dans l'arrière-boutique de l'Oxford et sous une simple ampoule, il était plongé dans un livre. Au départ, il n'avait jamais été question que ce projet prenne tout son temps…

Toutes ces tuniques et ces sous-vêtements le mettaient sur la corde raide. Maintenant qu'il avait l'œil d'un artiste, il lui semblait que les milliers de plis nécessitaient un effet d'ombre et de lumière. Depuis le début, il avait peint les vêtements sans se préoccuper des clairs obscurs, conscient que quelque chose clochait, mais quoi ?

Mauvais sort ! Pourquoi n'emballait-il pas toutes ces pièces et ne les rangeait-il pas dans le grenier ? Il pourrait y revenir un de ces jours. Mais il connaissait la réponse à cette question : un de ces jours n'arriverait jamais.

Il ne manquait probablement qu'un trait pour souligner la ligne d'un pli — une marque toute simple, plus foncée que le vêtement.

Le livre ouvert sur sa table de travail, il mélangea un peu de peinture puis, sans réfléchir, y trempa le pouce et appliqua la couleur le long du côté gauche du pli de la tunique de l'ange. Après quoi, il retraça la ligne avec son index pour enlever soigneusement le surplus.

Ahhhh…

Voilà !

Merci, mon Dieu…

Mission accomplie.

La douleur s'était transportée dans son cœur et s'y était logée comme une épingle de cravate.

Au cas où sa lettre se serait perdue, elle en écrivait une autre de mémoire en précisant cette fois qu'il était urgent que Mme Mallory lui réponde.

Elle s'était fait dire par Mme Havner qu'elle pouvait rester dans son appartement actuel le temps qu'il fallait.

– Vous avez été une bonne locataire et, en ce qui vous concerne, je vais oublier l'avis de deux semaines. Avertissez-moi dès que vous aurez pris votre décision.

Mme Havner lui avait donné un petit plateau de pain d'épice et l'avait embrassée. Elle aurait voulu rester là, sur l'épaule large et confortable de sa propriétaire, et pleurer comme une enfant.

Elle avait tout empaqueté, sauf ce dont elle aurait besoin jusqu'au déménagement. Qu'elle aille vivre à quelques portes dans la même rue ou dans la maison de sa mère avec Louise, elle déménagerait de toute façon.

Elle commençait à croire de plus en plus que ce serait dans la vieille maison de sa mère qu'elle s'installerait, que c'était sans doute ce que Dieu voulait pour elle. Après tout, si Mme Mallory avait décidé de lui laisser l'immeuble, elle l'en aurait déjà avisée.

Durant les courts mois qui s'étaient écoulés depuis qu'elle avait récité la prière avec George Gaynor, elle n'avait pas encore trouvé comment se raccrocher à la paix de Dieu. Quand elle priait, cette paix arrivait parfois comme un oiseau venant se poser au bord d'une fenêtre. Elle se déposait sur son épaule, lui procurant un grand apaisement et un espoir heureux. Puis, l'angoisse s'insinuait et l'oiseau, surpris, s'envolait…

Quoi qu'il en était, la vente de Noël allait bon train. Elle avait eu sa plus grosse commande jusqu'à maintenant, de la part d'Olivia Harper, et elle savait qu'elle pouvait compter sur ses bons clients, le père Tim et Cynthia…

La clochette de la porte résonna et quatre enseignantes de Mirford s'introduirent en riant, les joues rosies par le froid mordant. Elle avait ouvert une heure et demie plus tôt pour qu'elles puissent faire leurs achats avant le début du dernier jour de classe.

— Puis-je vous servir une tasse de cidre chaud ?

— Certainement ! répondit Mlle Griggs, enseignante à la première année. Ce serait très apprécié !

Emily Townsend, de la troisième année, déroula son foulard à rayures rouge et blanc.

– Votre arbre est vraiment spécial. Quand, le soir, Charlie et moi passons devant votre boutique, il me… donne la *chair de poule.* Il a l'air si… *réconfortant,* d'une certaine manière… je ne sais comment l'exprimer – Sharon est notre amoureuse de la langue ! Oh, voici des biscuits que j'ai faits. J'espère que vous aimez les pacanes, nous les avons décortiquées nous-mêmes – pouvez-vous le croire, elles sont si difficiles à retirer des coquilles !

– Oh là là ! fit Hope, admirant les gros biscuits.

Mlle Wilson, aussi de la troisième année, enleva ses cache-oreilles rouges.

– Nous aimons *tous* l'arbre qui apparaît à votre fenêtre du haut ; il est très *égayant.*

– Merci ! dit Hope, s'apercevant qu'elle était elle-même très égayée.

– Est-ce vrai qu'il y aura des soirées de contes tout l'été ?

Elle sentit un gros poids s'abattre sur son cœur. Que pouvait-elle répondre ?

– C'est mon plus grand désir, finit-elle par prononcer.

« Mon Dieu, aidez-moi », pensa-t-elle.

Il arriva à l'Oxford quelques minutes avant Andrew et Fred et, puisqu'il possédait une clé, il pénétra dans la pièce sombre qui sentait la cire d'abeille et le bois antique.

Il avait toujours aimé la senteur de l'Oxford mais, maintenant, il appréciait encore mieux la richesse et la diversité des effluves. Même l'odeur des fournitures à base d'huile servant pour ses pièces lui était devenue plaisante et familière, éveillant ses sens comme l'encre devait le faire pour une personne qui œuvrait dans l'imprimerie.

Il alluma la lumière et examina la longue étagère au-dessus de l'évier. À côté du chameau, qu'il réservait au savoir-faire de Dooley, il avait aligné les personnages terminés.

Neuf brebis, un bélier, deux anges, un âne !

Trois rois mages, deux bergers…

Ils achevaient la Sainte Famille.

Il retirait son manteau et son foulard lorsqu'il entendit Fred déverrouiller la porte avant et entrer, apparemment accompagné.

– J'ai vu l'père entrer ici il y a environ cinq minutes. J'dois lui parler !

– À votre place, j'n'irais pas là, dit Fred.

Le père Tim émergea rapidement de l'arrière-boutique et trouva Mule qui allait à sa rencontre.

– Vous voilà ! dit Mule. J'ai un pépin.

Le père Tim se tenait droit près d'une table de salle à manger de style géorgien, bloquant le passage. Après tout, Mule n'était pas très fort pour garder un secret.

– J.C. veut qu'nous allions luncher au salon d'thé aujourd'hui, mais j'me suis dit que Percy allait fermer ses portes dans que'qu'jours et qu'nous lui manquerions d'respect en n'allant pas chez lui.

– Je crois que tu as vachement raison.

– J'ai mangé là-bas deux fois la s'maine passée, mais j'pense que j'aurais pas dû.

– Dis à J.C. que nous le rejoindrons au salon de thé quand le Grill sera fermé.

– Il s'ra pas content.

– Il va s'en remettre.

– Eh ben, qu'est-ce que vous fabriquez ? Quelqu'un m'a dit qu'vous veniez ici tous les jours.

– Je travaille à un projet spécial.

– Vous faites quoi ?

– Un peu de ci, un peu de ça.

– Bon, dit Mule.

— Je dois m'y mettre, dit le père Tim, alors au Grill à l'heure habituelle ?

Mule avait l'air triste.

— J'aurais préféré qu'J.C. s'fâche pas contre Velma juste avant les fêtes, en plus Percy qui va fermer et tout ça.

— Moi aussi.

Quand Mule sortit enfin, le père Tim retourna dans l'arrière-boutique, moudre du café. De l'Antigua frais, six cuillers combles, quatre de déca et deux petites bombes.

Il balança le café moulu dans le filtre, remplit le pot de sept tasses d'eau froide qu'il versa dans la cafetière et appuya sur le bouton de mise en marche.

Dans la boutique, Fred tournait la manivelle d'un phonographe.

— Ah ah ! s'exclama le père Tim. Vivaldi !

Il était de bonne humeur.

À bien y penser, il allait appliquer du glacis sur l'aile.

— Nous y voilà…

Andrew feuilletait un livre qu'il avait apporté de chez lui.

– Regardez. Ça s'appelle *Vierge et enfant*[2] ... La robe de la Madone est noire. Peut-être pour faire allusion à la croix.

– Non, dit-il. Pas de noir.

Il tenait l'ange précautionneusement, appliquant le glacis sur l'aile par petites touches rapides. Avant que le glacis ne soit sec, il se servirait de son doigt pour découper les plumes.

– En voici une autre magnifique, dit Andrew. La *Madone de Lorette* de Raphaël. Admirez l'écarlate de sa robe ; en fait, cette couleur se rapproche davantage de celle d'un riche corail.

– Riche corail. Cela semble convenir.

Andrew tourna les pages.

– *La Madone et l'Enfant avec des anges* de Giovanni Battista Salvi. Encore une robe écarlate avec une mante bleue. Superbe !

– Faites voir.

Il remonta ses lunettes sur son nez.

– Bleu. Vraiment bleu. Et écarlate. Oui ! S'il vous plaît, marquez cette page.

Fred émergea dans la pièce.

---

2. En français dans la version originale.

— J'ai rapporté l'coffre en noyer de l'entrepôt. Vous l'voulez devant la fenêtre ? demanda-t-il à Andrew.

— Là où se trouvait la bibliothèque. Je t'aiderai après le lunch. Comment la couleur est-elle sortie sous la cire ?

— On n'peut mieux ! Il est presque midi ; j'peux aller chercher des sandwichs…

— Pas pour moi, dit Andrew. Je remonte la colline pour aller goûter un plat de pâtes inventé par ma douce épouse.

— Et moi, je vais au Grill, dit le père Tim.

C'était la façon dont il s'était levé, se souvint-il plus tard — sa jambe s'était quelque peu tordue et lui avait fait perdre l'équilibre.

En se retenant à l'évier de la main gauche, il vit l'ange culbuter du côté droit, comme au ralenti. Il entendit un son effroyable s'échapper de sa gorge, à moitié cri, à moitié grognement, lorsque la pièce s'écrasa sur le plancher d'ardoises.

Retrouvant son équilibre, il contempla le sol, l'air horrifié.

L'ange était brisé en éclats. Il était brisé en éclats.

Il y eut un long silence durant lequel lui, Andrew et Fred demeurèrent immobiles. Il se rendit compte que sa bouche était encore ouverte, ses lèvres formant le son du cri qu'il avait émis.

– Bonté divine ! dit finalement Andrew.

Il avait envie de pleurer, mais il se retint.

– Quel idiot maladroit...

– S'il vous plaît.

Il sentit la main d'Andrew sur son épaule.

– Pas de récriminations. La tête est intacte et l'aile n'est pas trop abîmée. Qu'en penses-tu, Fred ? C'est réparable ?

– J'crois qu'ça prendra..., dit Fred en s'éclaircissant la gorge, beaucoup d'temps. Le corps est en morceaux.

Le père Tim se pencha pour ramasser la tête. Il ressentit une vive émotion en voyant le visage d'la pièce encore si serein, et si parfaitement heureux.

Fred s'éloigna et revint avec une boîte et un balai.

– Je vais balayer. Vous, allez au Grill.

– Oui, dit-il d'une voix qui trahissait sa déception. Oui.

– Je n'pense pas vous revoir aujourd'hui.

– Oh oui. Je vais revenir. Le temps file.

– J'vais tout placer dans cette boîte, dit Fred.

L'air grave, Andrew revêtit son foulard et son pardessus.

— Nous pouvons le garder et y revenir un peu plus tard. Peut-être aurons-nous envie d'essayer de…

— Non, dit le père Tim en secouant la tête. Laissons faire.

L'enthousiasme qui l'avait animé si vigoureusement au cours des dernières semaines s'était brisé avec l'ange. Il se sentait confus et soudainement vieux.

Ils étaient assis sur le canapé, un bol de maïs soufflé entre eux. Un petit feu pétillait dans le foyer.

— J'ai terminé plus tôt à la caserne d'incendie et je suis passée à l'Oxford…, dit-elle.

— Ah oui ?

— … je voulais t'amener luncher, mais tu étais déjà parti. Fred m'a dit que je t'avais manqué de peu.

— Comment as-tu su où me trouver ?

— Tout le monde sait où te trouver.

— Ah bon ?

— Oui, mon chéri. N'oublie pas que c'est un petit village ! En fait, j'étais au Local et j'ai demandé à Avis s'il t'avait vu. Il m'a répondu que, lorsque qu'il sortait pour fumer, il te voyait souvent « traîner » à l'Oxford.

— Ah ah !

– À la bibliothèque, Avette m'a dit que tu étais passé plusieurs fois et c'est aussi ce que j'ai appris à l'Irish Woolen Shop, pratiquement à côté.

Il n'avait jamais aimé garder un secret, du moins pas l'un des siens. De toute évidence ce n'était pas son fort, et il aurait souhaité qu'elle fasse disparaître ce sourire de son visage.

Elle inclina la tête d'un côté et le fixa de ses yeux bleus, avec espoir.

– Eh bien, je suppose que tu ne veux pas me donner d'indices ?

– Pas question. Aucun. Et n'approche pas de l'Oxford, ma petite fouine.

– Mais, Timothy, je ne fouinais pas ! Nous avons été si occupés tous les deux et tu me manquais. J'ai pensé que ce serait agréable de manger ensemble.

– Vous raconterez cela au juge, dit-il d'un ton satisfait.

Ensuite, il ajouta :

– Au fait, je voulais laisser une note à mon auteure favorite ce matin, mais la porte de sa salle de travail était fermée à clé.

Jamais auparavant elle ne l'avait été.

– Alors... qu'est-ce que tu mijotes ?

Elle prit une poignée de maïs soufflé.

– Un peu de ci, un peu de ça, répondit-elle, contente d'elle-même.

– Vraiment ?

– La routine, quoi.

– Tu peux me donner un indice ?

– Pas question. Aucun.

– Aucun ?

Elle frappa contre le bol.

– *Aucun !* Noël approche, tu sais.

Ce qui, bien sûr, expliquait tout.

Il enfouit la note dans la poche de son peignoir pendant qu'elle prenait sa douche du matin.

Dans le cadre d'une étude, quelqu'un avait demandé à des enfants de six à huit ans de définir l'amour et il était tombé sur les résultats en naviguant sur Internet.

Quand on aime une personne, nos cils battent et de petites étoiles sortent de nous.

Quand une personne nous aime, elle prononce notre nom autrement. Notre nom est en sécurité dans sa bouche.

Je t'amène au restaurant mercredi soir. À toi jusqu'au paradis et pour l'éternité, T.

P.S. : Il appelle Ses moutons par leur nom et notre nom est en sécurité dans Sa bouche.

Sept

Ce qui au début lui avait appartenu était devenu aussi la propriété d'Andrew et de Fred. En échappant l'ange, il avait l'impression d'avoir abandonné tout son monde.

Cependant, il souhaitait se débarrasser de cette culpabilité inutile et aller de l'avant.

C'était plutôt ironique qu'il ait perdu deux anges au cours des années récentes. De bon cœur, il avait donné le premier à sa voisine et locataire, Hélène Pringle, dont la vie s'était à une époque organisée, presque littéralement, autour du personnage de bronze et de marbre qui reposait maintenant sur son manteau de cheminée.

Le temps manquait pour tout, incluant celui de dresser ses listes. Assis à son bureau près de la fenêtre, il ouvrit à la dernière page le livre partiellement vierge dans lequel il notait ses citations favorites et se mit à écrire.

Dooley, caméra numérique
Sammy, pull à torsades
Sissy / Sassy, sacs à dos

Il se leva, parcourut rapidement le corridor jusqu'à la salle de travail de Cynthia et frappa à la porte verrouillée.

– Madame Kavanagh, quels livres devrions-nous offrir aux filles ?

– *Les quatre filles du docteur March.*

– Bien, dit-il en griffonnant.

– *Narnia. Nancy Drew.*

– Et puis *Le vent dans les saules ?*

– Nous le leur avons donné l'an dernier !

– Et que penses-tu d'*Oncle Rémus ?* demanda-t-il, de l'autre côté de la porte.

– Bonne idée ! Elles vont adorer *Oncle Rémus,* surtout si leur grand-papa leur en fait la lecture.

– J'ai pensé que nous pourrions placer tous les livres dans leurs sacs à dos. Pas besoin de les emballer.

– Peux-tu téléphoner à Hope tout de suite pour t'assurer qu'elle a ces titres ou qu'elle les commande à temps ? Oh, mon chéri, ajoute *Anne, la maison aux pignons verts* en coffret de huit volumes.

– Considérez que c'est chose faite !

Ils faisaient certainement leur part pour aider Happy Endings.

– Et que dirais-tu d'une robe-tablier pour Louella ?

– Parfait ! Très grande, avec des manches et une fermeture éclair à l'avant. Laisse la liste sur l'îlot de cuisine et je m'occuperai du reste. Et n'oublie pas de te faire couper les cheveux avant le service de la veille de Noël.

Miséricorde ! Il aurait préféré se faire fouetter...

– J'ai entendu dire que Joe Ivey coupait les cheveux à domicile, l'informa-t-elle.

Il n'aimait pas tellement crier à travers une porte.

– Je vais y voir. Et, en passant, quelle est cette *odeur* qui provient de ta salle de travail ?

– La curiosité est un vilain défaut, Timothy !

Il retourna à son bureau. La ligne était occupée chez Happy Endings. Il espérait qu'il s'agissait d'une commande d'un demi-kilomètre.

Puny, mijoteuse
Infirmières @ Hope House, chocolats, 4 btes, réserver au Local
Hôp. pour enfants, comme ci-dessus...
Andrew, mon éd. ancienne de poésies ang. d'Oxfd
Fred, bêche de jardinage, quinc. Dora's
Jonathan Tolson et famille, demander à Cyn

Il entendit son chien fidèle sauter du canapé pour venir s'installer près du bureau. Ses yeux bruns et sérieux étaient levés vers lui.

— Salut, mon ami !

Et que donnerait-il à celui qui avait égayé ses journées, l'avait encouragé, lui avait pardonné ses défauts et avait écouté ses divagations d'un air intéressé ?

Il passa une main derrière la paire d'oreilles attentives.

— Quand nous serons à Meadowgate, tu pourras patauger dans la crique et je ne le dirai pas ; je te laisserai même chasser les écureuils. Après tout, la vie est trop courte, carpe diem !

Barnabas bâilla.

— Entre-temps...

Il ouvrit un tiroir et donna à son chien une récompense qui était responsable de l'odeur de bacon qui se dégageait de son bureau et de son contenu.

Sa liste de cadeaux complétée, il en créa une autre pour l'achat de nourriture. La liste pour le banquet de bienvenue de Dooley allait de soi : du steak et les ingrédients d'une tarte au chocolat.

À haute voix, il compta les convives pour le repas de Noël.

– Dooley, Sammy, Lon Burtie, Poo, Jessie, Harley, Hélène, Louella, Scott Murphy, les deux Kavanagh… onze ! Qui d'autre ?

– Seigneur, nous avons de la place pour une personne de plus !

Des huîtres…

Mais combien ? Il y avait de fortes chances que son plat favori au menu ne soit pas très prisé par le reste de cette assemblée.

Un demi-litre, écrivit-il.

Crème épaisse

Jambon de 5 kilos avec l'os

... Il ferait cuire le jambon ; Cynthia préparerait son imbattable pâté aux huîtres, un grand plat d'ambroisie et une casserole de patates douces ; Hélène apporterait les haricots verts et Harley avait promis un plateau de ses célèbres carrés au chocolat fondant. En plus, Puny cuisinerait un gâteau au fromage et une purée de canneberges ; Louella fournirait des petits pains à la levure de la cuisine de Hope House et les rumeurs laissaient supposer qu'Esther Bolick viendrait offrir un gâteau à la marmelade...

... un véritable champ de mines pour le diabétique de la famille, mais il était devenu habile dans la traversée de ce genre d'obstacle.

Il jeta un coup d'œil inquiet vers l'horloge, pressé d'en finir avec sa liste et de se rendre à l'Oxford. Mais, non ! Absolument pas. Il se força à s'adosser à son fauteuil, comme s'il avait été tout à fait détendu.

Il se sentit aussitôt assailli par l'angoisse. Il devait avancer son homélie pour la messe de minuit à Lord's Chapel, puis fouiller le sous-sol à la recherche du support pour l'arbre de Noël, téléphoner au Local pour les chocolats, appeler Hope pour s'assurer qu'elle avait tout ce qui était inscrit sur sa liste, vérifier que le Woolen Shop avait le pull de Sammy...

Pas question ! Il ne reporterait pas à plus tard l'heureuse récompense de ce rare moment tranquille.

Il prit une grande respiration, expira, puis ferma les yeux.

Merci, Seigneur, pour la grâce d'un esprit calme et pour les bienfaits que Tu nous offres en nombre si élevé que nous ne pouvons les calculer ni même les reconnaître…

Il resta assis quelque temps, rendant grâce à Dieu puis, sans en avoir eu l'intention, il plongea dans ses souvenirs…

Peu de temps avant Noël, il avait remarqué que le visage habituellement serein de sa mère était pâle et las. Elle n'avait plus l'air d'elle-même. Puis, la douleur terrible s'était manifestée d'un côté.

— Vite ! avait dit son père. Va chercher Peggy !

Le cœur battant à tout rompre, il avait couru aussi rapidement que lui permettaient ses jambes jusqu'à la petite maison derrière la haie de troènes, au bout du chemin.

C'était la fin d'un après-midi froid. Il avait trouvé Peggy en train d'étendre la lessive sur une corde devant le foyer.

— Maman ne va pas bien. Il faut que tu viennes.

Peggy avait éteint le feu, mis son vieux manteau gris et, main dans la main, ils avaient marché à vive allure dans l'ornière gelée de la route.

Lorsqu'ils étaient arrivés à la grande maison blanche entourée de chênes, la Buick noire était partie.

— Ton papa l'a am'née à Memphis, avait dit Peggy en lui serrant la main.

Memphis. Là où il y avait un hôpital. Il avait retenu ses larmes jusqu'à cet instant.

Il était resté longtemps devant l'entrée principale au cas où son père changerait d'idée et la ramènerait à la maison afin que le docteur Franklin la soigne avec les médicaments qu'il traînait dans son sac noir.

Mais la voiture n'était pas apparue dans l'allée et, dès la nuit tombée, Peggy l'avait amené chez elle, au bout du chemin. Elle lui avait donné du pain de maïs, du lait et des patates douces en purée avec de la mélasse. Puis elle lui avait préparé une paillasse avec des courtepointes usées, et l'avait installé près du foyer.

Il se souviendrait toujours du parfum de la maison de Peggy : un mélange de cendres, de bacon frit et de biscuits refroidis. Grâce à cette odeur, il s'était senti en sécurité. Il n'oublierait pas non plus la lampe à huile sur la table de cuisine qui, cette nuit-là, faisait danser des ombres sur le mur, pas plus que Peggy qui priait avec ardeur à haute voix en levant les mains vers le ciel et en s'adressant à Dieu comme s'Il avait été présent dans la pièce.

Noël approchait et il pensait qu'le bon Dieu l'avait oublié, mais non m'sieur ! C'matin, assis au bord de son lit, les idées s'étaient mises à débouler. Comme s'il avait ouvert un robinet pis qu'une ou deux gouttes avaient coulé et pis, tout à coup, une vraie inondation.

Un coffret à bijoux ! Sacrebleu, c'était c'qui lui fallait.

Son frère, Willard, lui avait envoyé une broche de France quand il avait fait la guerre et elle l'avait rangée dans l'tiroir du buffet. Une aut'fois, Willard lui avait offert un collier d'perles qu'elle conservait dans un p'tit meuble dans la cuisine. Lui-même lui avait donné des bouc' d'oreilles et elle les avait placées sur le manteau d'cheminée où elles étaient restées jusqu'à aujourd'hui. Elle pourrait tout mettre dans le coffret à bijoux. Et pis, il placerait un p'tit morceau de feutre au fond.

Il était diablement content d'avoir enfin réglé c'te question.

Il revêtit son vieux peignoir et traversa lentement le corridor jusqu'à la cuisine. Il regarda l'herbe gelée par la fenêtre, puis se rendit au comptoir et souleva le couvercle de la marmite froide.

Ouais m'sieur, c'était un temps pour manger des haricots Pinto ! Il vida l'eau de trempage, plaça la marmite sous le robinet pour en ajouter de la fraîche, puis la posa sur le poêle et alluma le brûleur. Avec un morceau d'pain d'maïs et que'ques oignons tranchés, bonjour l'festin pour lui et Rose…

Il s'considérait heureux, amen et alléluia.

Dans ses vêtements de course, le père Tim se rendait à Hope House, un sac de provisions dans un bras et Barnabas au bout d'une laisse rouge. Au cours des derniers mois, il avait eu la permission de laisser Barnabas au poste des infirmières de l'étage principal au lieu de l'attacher à un poteau à l'entrée.

– Pour vous, mon ami, dit-il à Ben Isaac Berman dans la chambre numéro sept, la seule de Hope House pourvue d'un lecteur de disques compacts.

– Bach ! dit Ben Isaac en regardant son nouveau disque, les yeux brillants.

Ils s'étreignirent avec affection.

– Merci, mon père ! Quand viendrez-vous me rendre une visite un peu plus longue ? Nous devons poursuivre notre discussion sur Marc Aurèle !

– Ah oui, dit le père Tim. Marc Aurèle, le magnat des magasins à rayons !

Il aimait entendre rire ce vieil homme de belle apparence.

– Voici une citation de l'empereur lui-même, dit le père Tim. Et une excellente : « La première règle consiste à garder un esprit calme. La seconde est de regarder les choses en face et de les prendre pour ce qu'elles sont. »

Ben Isaac réfléchit un instant, puis hocha la tête en signe d'approbation.

– Je vais noter cela par écrit.

– Je reviendrai vous rendre visite dans la première semaine de janvier, promit le père Tim. Prenez-en note ! Et si nous ne nous revoyons pas d'ici là, je vous souhaite un joyeux Hanoukka !

– Joyeux Noël, mon père !

Puis, Ben Isaac lui demanda :

– Quelle était la première règle déjà ?

— Garder un esprit calme !

Il marcha dans le corridor en direction de la chambre de Mlle Pattie. Elle était endormie. Il pria pour elle en silence, demandant à Dieu de lui envoyer une pluie de bénédictions dans sa quatre-vingt-dixième année.

Même si la porte de Louella était ouverte, il n'y avait pas de Louella.

— Louella ! Où es-tu ?

Doris Green se pointa, poussant sa marchette dont le panier contenait un paquet de Camels et un briquet.

— Elle travaille aujourd'hui.

— *Travaille ?*

— Fait des biscuits. Dans la cuisine. Une fois par semaine. Quatre heures. Huit dollars de l'heure.

— Merci, Doris.

Une mine de renseignements !

Il trouva Louella dans la cuisine, vêtue d'un tablier, se servant d'un pot Mason pour découper des biscuits dans de la pâte placée sur une tôle.

— Louella ! dit-il stupéfait, et c'est le moindre qu'on puisse dire.

Elle leva les yeux et lui fit un large sourire.

— Eh, chéri.

— Que fais-tu pour l'amour du ciel ?

— Je gagne un peu d'argent pour les cadeaux de Noël.

— Dis donc !

— Tout l'monde s'est arraché mes biscuits l'aut'jour. J'ai donc décidé d'en faire une fois par s'maine jusqu'à Noël, mais seulement pour le lunch, pas le p'tit-déjeuner. Ils ont dit « Voici un tablier. » La dernière fois qu'vous êtes v'nu, j'ai oublié d'vous en parler.

— Bonté divine ! Les merveilles ne cesseront jamais. Il faudra que quelqu'un t'amène faire tes courses de Noël !

Elle pourrait l'accompagner lorsqu'il filerait à Wesley…

— Non, chéri. J'ai magasiné en ligne.

— *En ligne ?* Tu es *branchée ?*

— Oh non ! Pas moi. Doris Green ! Elle est dev'nue accrochée en diable. Elle parle même avec son p'tit-fils qu'est sur un navire d'la Marine en plein *océan*.

— Miséricorde ! CyberMitford !

— Mais aujourd'hui, c'est mon dernier jour de travail. Vous avez d'vant vous la dernière fournée. J'manque mes téléromans.

— Ah ah ! Eh bien, nous avons hâte de te voir à Noël. Scott viendra te chercher et je te ramènerai. Je t'ai laissé un petit quelque chose dans ta chambre.

— Est-ce que c'est ce que je pense ?

— Oui !

— Cerise claire ?

— Exactement !

— J'ai gratté mon vieux tube jusqu'à la dernière goutte. J'suis si pâle, j'air l'air d'une Blanche.

— Tu as l'air d'un rayon de soleil, lui dit-il en posant un baiser sur sa joue.

Il se surprit à sourire tout le long du corridor.

Quelque chose se tramait en lui. Quelque chose de fort, de profond et de précis. Qu'il suffise de dire qu'il commençait à se rendre compte que Noël approchait, non seulement sur le calendrier mais aussi dans son cœur.

Ce matin, la lecture de Cynthia avait tout expliqué :

« La Parole s'est faite chair et a vécu parmi nous, et nous avons vu Sa gloire. »

— Je suis désolée, dit Helen. Je sais que c'était ton plus cher désir mais, vraiment, Hope, tu as esquivé un coup. Regarde comme nous avons lutté, toutes ces années ! Je ne comprends pas pourquoi tu veux perpétuer une telle misère.

– Oui, mais il y a du changement. C'est notre meilleure période des fêtes jusqu'à maintenant.

La ligne grésillait fortement comme cela arrivait souvent durant leur discussion téléphonique quotidienne depuis qu'il avait été décidé de la fermeture de Happy Endings ; cela provenait de l'appareil cellulaire d'Helen, qui allait et venait sur sa terrasse surplombant la piscine.

– Viens en Floride, pour l'amour de Dieu. Ici, le soleil nous caresse les joues et la brise de mer fait onduler notre chevelure. J'ai toujours pensé que la manière dont tu nouais tes cheveux te donnait l'air d'une vieille femme de chambre. Ici, nous les couperons et y mettrons un peu de couleur. J'ai justement la personne…

– Non, dit Hope. Je n'irai pas en Floride. C'est réglé. Je vais vivre avec Louise.

– Tu sais ce que je pense de cette voie sans issue.

En effet, elle le savait et ne pouvait plus l'entendre.

– Des clients ! dit Hope. Ils frappent à la porte, je dois y aller.

Elle et Helen étaient en accord sur un point : les clients d'abord.

Elle courut à la porte, ouvrit et tressaillit de bonheur. Sous une casquette qui la fit éclater de rire, Scott affichait son habituel sourire rempli de bonne humeur.

— Êtes-vous un client ? demanda-t-elle.

— Absolument !

Il retira une feuille de papier de la poche de son veston.

— Et voici ma liste pour le prouver.

— Oh, excellent ! dit-elle, soulagée de ne pas avoir menti à Helen.

— J'étais sur le point de monter pour allumer les lumières de l'arbre. Tu viens avec moi ?

— Bien sûr, plusieurs personnes attendent dehors que les lumières s'allument. Je crois que c'est devenu une attraction spéciale dans Main Street.

— Notre arbre ! dit-elle d'un ton sceptique, une attraction spéciale !

Il lui tendit la main et elle la prit. Ensemble, ils marchèrent sur le plancher qui grinçait et montèrent l'escalier menant à la pièce au-dessus de la boutique.

Au lieu de prendre la direction du monument, il marcha vers le sud avec Barnabas et se rendit à l'Oxford. À la lueur du lampadaire, il déverrouilla la porte et entra.

...un enfant nous est né,
Un fils nous est donné,
Dieu lui-même est descendu du ciel.
Chantons Ô chantons, ce matin béni.

Quelqu'un avait laissé fonctionner le lecteur de disques compacts. Il fit un pas pour aller l'éteindre, puis opta plutôt pour la joyeuse compagnie de la musique.

Même s'il allait rarement à l'Oxford le soir, étrangement il se sentait comme chez lui dans cette pièce sombre aux effluves de cire ; il était en quelque sorte à l'abri des caprices de ce monde où les guerres et les rumeurs de guerres menaçaient continuellement et où plus rien ne semblait certain.

Son travail l'appelait. Barnabas sur les talons, il se rendit d'un pas alerte dans l'arrière-boutique, aussi impatient qu'un enfant de voir ce que lui, Fred et Andrew avaient accompli et ce qu'il leur restait à faire...

Même si son projet n'avait pas un sens profond et n'allait pas changer le cours du monde, Dieu semblait tenir à ce qu'il réussisse. Il avait l'impression qu'Il guidait ses mains, son instinct et sa concentration.

Lui et Fred œuvraient parfois durant une heure et même davantage sans prononcer un seul mot, tellement ils étaient absorbés par leur travail. Lorsqu'il reprenait conscience, il avait souvent l'impression d'être allé ailleurs, dans un lieu de paix totale.

C'était peut-être la bénédiction de travailler avec ses mains plutôt qu'avec sa tête. Toute sa vie, il avait effectivement surtout travaillé intellectuellement. Sa mère avait vivement encouragé un équilibre sain entre les activités physiques, mentales et spirituelles mais, lorsqu'il était sorti de l'école et qu'il était descendu dans l'arène de ce monde, cet équilibre s'était rompu, le mental et le spirituel triomphant. Ses mains, sauf quand il jardinait, cuisinait et lavait un gros chien, avaient principalement été occupées à tourner les pages d'un livre.

Tout ce qu'il avait manqué ! Les personnages alignés sur l'étagère étaient une merveille pour lui. Il était pressé de terminer ce projet, mais il se sentirait triste lorsque ce serait fini…

Grâce à Dieu, il n'était plus angoissé à l'idée que sa talentueuse épouse juge son œuvre comme un travail d'amateur maladroitement exécuté. C'*était* un travail d'amateur ! Et il *était* maladroitement exécuté ! Mais, juste ciel, c'était également autre chose, quelque chose de plus élevé qu'il n'arrivait pas à définir.

Il se débarrassa de sa veste chaude et de ses gants, et prit un pinceau qu'il examina soigneusement en se demandant s'il devait en choisir un plus gros afin de couvrir plus rapidement la surface.

Non. Il ne voulait pas que la Sainte Famille avance plus vite. Il en était venu à éprouver une tendresse particulière envers les derniers personnages de ce groupe vénérable et il avait envie de leur consacrer ses meilleurs efforts, sa plus profonde concentration.

Il semblait que, dans ce monde frénétique rempli de distractions, la plupart des gens vivaient leurs expériences sans prendre le temps de les savourer ni d'y réfléchir par la suite.

Quant à lui, ce projet l'avait forcé à ralentir le rythme, à devenir plus conscient et à apprécier le travail manuel. De plus, il lui rappelait chaque jour que Noël n'avait pas commencé le week-end après l'Halloween, comme les commerçants de Wesley et même de Mitford voulaient le laisser entendre. Nous en étions encore à la période de préparation, la crèche aussi – les ténèbres, avant la lumière, régnaient encore en ce monde.

Son cœur s'enthousiasma lorsqu'il trempa son pinceau dans le glacis qui donnerait de la profondeur à la tunique de Joseph…

– Seigneur, dit-il à haute voix, merci de m'accompagner…

– Sortez de là, Madame Kavanagh. Pour l'amour de Dieu, il est dix heures trente.

– Va m'attendre dans la cuisine pour que je puisse ouvrir la porte !

Il alla à la cuisine et l'entendit fermer à clé la salle de travail qui contenait la mystérieuse création qui, même invisible, lui procurait déjà une certaine joie.

Bizarrement, il avait hâte de la voir ; elle lui manquait terriblement. Le projet d'arbre des anges était très prenant et, avec Olivia Harper, elle le menait de main de maître.

Elle entra en coup de vent, l'enlaça, frotta son nez tout chaud contre le sien qui était froid et le regarda dans les yeux d'un air franchement heureux.

– Tu bats des cils et de petites étoiles sortent de toi, dit-il.

Ils s'apprêtaient à quitter la pièce quand Hope l'aperçut.

Il s'agissait d'un petit bout de papier qui dépassait des planches du vieux plancher en pin, là où avaient été posées pendant des années des boîtes d'anciens manuels scolaires.

Hope posa un genou par terre et retira une épingle de ses cheveux ; elle l'utilisa pour tenter de déloger le papier. C'était une enveloppe, devenue fragile avec le temps, sans cachet postal.

– Regarde ! murmura-t-elle.

Scott s'agenouilla lui aussi. L'épingle glissa de sa main et tomba dans la fente, avec l'enveloppe. Elle en prit une autre dans ses cheveux, attrapa l'enveloppe à nouveau et l'extirpa.

– Bien joué, dit Scott.

Elle souleva le rabat et vit une lettre.

Elle lut tout haut l'inscription pâlie : « À ma petite sœur pour Noël. »

Ils se levèrent et se placèrent sous l'éclairage de l'arbre, puis elle sortit la lettre de l'enveloppe. Le message tenait sur une page. L'encre noire avait pris une faible teinte rougeâtre, semblable à une tache de baies.

Lentement, avec révérence, elle révéla ce qui était inscrit d'une écriture soignée sur le papier jaunie.

Noël, 1932
Ma chère petite sœur,

Cette année, je pense à toi avec un sentiment tout spécial. Je sais que tu aimes bien recevoir des mots de ma part et je dois admettre que tu en écris d'excellents, toi aussi.

Je veux profiter de cette occasion pour te dire que je t'aime et que je suis fier de toi. Tes gentilles lettres me font beaucoup plaisir et je peux dire par expérience qu'il s'agit d'un art difficile à maîtriser.

J'espère de tout cœur que tu apprécieras ton cadeau. Sache qu'il a été choisi avec grande affection et dans l'espoir d'un brillant avenir pour toi, de la part de

Ton frère dévoué

– Oh, s'exclama-t-elle, émue.

Elle tenait la lettre comme un objet longtemps désiré qui lui était personnellement destiné.

– Hope.

– Oui ?

Elle sentit ses cheveux soigneusement attachés se dénouer.

– Il est étonnant que cette lettre exprime certaines choses que j'ai envie de te dire depuis quelque temps.

– Vraiment ?

Il se tenait derrière elle et l'entoura de ses bras pour la serrer contre lui. Les lumières de l'arbre transformaient la pièce vide en un prisme de couleur.

– Je veux profiter de cette occasion pour te dire que je t'aime et que je suis fier de toi.

Une douce chaleur monta lentement en elle, une joie paisible et envahissante.

– J'espère de tout cœur, poursuivit-il en lisant la lettre qu'elle tenait dans sa main, que tu apprécieras ton cadeau. Sache qu'il a été choisi avec grande affection et dans l'espoir d'un brillant avenir pour toi, de la part de ton ami dévoué, ton frère par le Christ.

Le souffle coupé, elle resta muette ; ses cheveux tombaient sur ses épaules.

– Je me demandais comment te le dire. Et puis voilà que quelqu'un l'a dit à ma place, il y a longtemps.

Il lui plaça une petite boîte dans la main.

– S'il te plaît, ne l'ouvre pas avant Noël, murmura-t-il, en la tenant dans ses bras, comme s'ils pouvaient demeurer dans cette pièce aussi longtemps qu'ils le voulaient avec l'arbre scintillant, la lettre et le sentiment d'un brillant avenir devant eux.

Huit

Il avait quelque peu négligé son courrier électronique ces derniers jours, et il fut flatté et moyennement excité d'apercevoir une liste de seize messages en attente.

Par où commencer ?

Par là où tout prêtre doté de sens commun commencerait, son évêque.

<*Timothy,*

<*Vous vous souvenez de l'époque où, en tant qu'émule du bon saint Paul, j'écrivais toutes les missives importantes à la main ?*

<*Mon ami, cette époque est désormais révolue ! Cependant, je m'empresse de vous assurer que ce message électronique est important.*

<Attention :

<J'aurai très certainement quelque chose pour vous au début de l'an prochain. Comme vous pouvez vous y attendre, ce n'est rien d'extravagant et Dieu sait que ce sera un défi. Mais je dois admettre que je vous envie manifestement.

<Je ne peux vous en dire davantage pour l'instant, mais je communiquerai avec vous après les fêtes pour que nous puissions faire le point. (Au fait, je me rappelle que vous devez passer l'an prochain à la ferme des Owen, ce qui n'entre pas du tout en conflit.)

<Je fais ce que vous me suggérez depuis longtemps et je passe plus de temps avec mes petits-enfants « empruntés ». Les quelques années qu'ils ont vécues avec nous ont décuplé notre santé, notre vitalité et notre joie, même si Martha et moi regrettons encore la perte de leurs vrais grands-parents, nos amis irremplaçables. À ce courriel, je vais joindre des photos de notre voyage de pêche à Outer Banks. Je suis heureux que Dieu vous ait donné, à vous aussi, une paire de petits-enfants !

<Comme vous le savez, le Redoutable Sept et Deux arrive cet été et je vais encore paître dans les prés avec vous et les autres vieilles chèvres. Que le ciel me vienne en aide – si j'étais un chien, je serais déjà mort !

<Je n'imagine pas ce qu'un évêque à la retraire est censé faire de lui-même. Jusqu'à maintenant, ce qui m'intéresse le plus, c'est un voyage à Disney World. (Eh, non ! je n'ai pas l'intention d'écrire un livre.)

<Puisque nous avons réuni tous les fonds pour la cathédrale et que les plans ont été approuvés (un véritable cauchemar), nous prévoyons célébrer l'inauguration des travaux quelques jours avant ma retraite, prévue pour le 15 juin. Vous et C devez vous joindre à nous pour cet événement miraculeux.

<J'espère que vous et votre charmante compagne êtes heureux et en pleine forme, que Dooley réussit bien dans ses études et que vous êtes fiers de lui. Que Dieu dans Sa toute-puissance vous bénisse en cette extraordinaire période des fêtes. Puissiez-vous sentir sa miséricorde, sa grâce et sa paix.

<†Stuart

* * *

<Père Tim,

<Le docteur dit que tout semble normal et je prévois être grand-mère quand je vous verrai ! Emily et Jack sont encouragés, comme je le suis moi-même. D'après tous les tests, ce sera une fille !

<Merci pour vos prières en ce temps effrayant. Continuez.

<Harold est presque mort de faim. Je lui ai envoyé un rôti par UPS, livraison express, et ça m'a coûté les yeux de la tête, mais il est sauvé. Il prend congé cette semaine et viendra nous rejoindre jusqu'au 10 janvier, date à laquelle nous revenons à Mitford, tandis que l'autre grand-maman prendra la relève. S'il vous plaît, priez pour Snickers qui devra voyager dans une voiture qui le rend toujours malade.

<J'ai pensé à vous qui courez et joggez tous les jours. Moi, ce n'est pas mon fort. Que pensez-vous de ce qui suit :

<Commencez par vous tenir derrière votre maison avec un sac de pommes de terre de 2 kilos dans chaque main. Élevez les bras à l'horizontale et gardez cette position aussi longtemps que vous le pouvez.

<Après quelques semaines, prenez des sacs de 5 kilos, puis passez à 25 kilos, et finalement voyez si vous pouvez soulever un sac de 50 kilos dans chaque main en gardant vos bras allongés pendant une minute.

<Ensuite… commencez à mettre des pommes de terre dans les sacs, mais attention aux quantités.

< Ah ! ah !

<Je vous ai fait parvenir, à vous et Cynthia, un petit cadeau par la poste. J'ai trouvé des souliers pour porter avec ma nouvelle robe marine, au mois de mai en Angleterre. Maintenant, je dois chercher un manteau, car on m'a dit que les soirs pouvaient être frais en mai. Je crois que je le prendrai marine plutôt que noir. Emily dit que c'est seulement à New York que le marine se porte avec du noir. Mais cela me semble tellement peu pratique d'acheter un manteau marine qui me servira avec une seule robe. Qu'en pensez-vous ? Manteau noir ou manteau marine ?

<Joyeux Noël !

<Avec amour, Emma

* * *

<Cher père Tim,

<Tout le monde à St. John vous souhaite, à vous et Cynthia, la plus heureuse des saisons de Noël. Vous serez toujours une famille pour nous.

<Morris a composé une superbe cantate de Noël. Quand Sam et moi l'avons entendue durant une répétition, nous avons tous les deux pleuré comme des bébés. Des gens viendront de partout et nous travaillons sans relâche pour tout cuisiner en prévision d'un petit gueuleton.

<Il a fait froid ici. Quelqu'un jure avoir vu un ou deux flocons de neige, mais personne n'y a trop cru. Les poneys sont de retour !

<Je suis désolée de vous apprendre qu'il y a quelques personnes qui ne peuvent pardonner à Jeffrey Tolson. Toutefois, Sam et moi percevons clairement l'effet salutaire de Dieu. Sam croit que tout s'estompera avec le temps. Votre Jonathan réussit tellement bien à l'école que vous et Cynthia en seriez fiers.

<Je dois vous quitter. Il faut que je fasse six douzaines de biscuits ! Sachez qu'une petite goutte dans l'Atlantique vous envoie beaucoup d'amour !

<Affectueusement,
<Marion

— Mlle Betty, et si j'me prom'nais dans la cour ?

— Le docteur a dit que vous le pouviez, oncle Billy, mais seulement au printemps. Il fait trop froid maintenant.

Il jeta un coup d'œil au-dessus de son épaule, puis dans la marmite. Des choux rosettes ! Son légume favori depuis toujours. Et une dinde bien grasse en train d'rôtir au four ! P't-être était-il mort à l'hôpital quelques mois plus tôt et était-il maintenant au paradis.

— Et si j'm'habillais chaud'ment ?

— Je ne pense pas, oncle Billy. Attendez au mois de mai, quand les fleurs commenceront à éclore.

— Mai ?

Un homme devrait pas avoir à attend' au mois d'mai pour sortir d'sa maison ! Il avait des choses importantes à faire. En plus, il s'rait p't-être mort et enterré au mois d'mai.

— Qu'est-ce qui vous ferait le plus plaisir ? demanda le père Tim à Sissy et Sassy, assises à ses côtés sur le canapé de son bureau.

— Des livres ! s'exclamèrent-elles en chœur.

Sa commande, emballée et prête à partir, se trouvait déjà près de la caisse enregistreuse d'Hope.

— Quoi d'autre ?

— Des poissons rouges ! dit Sissy, qui le regardait avec ses yeux verts fureteurs qu'il aimait tant.

— Des patins à glace ! dit Sassy, avec son sourire contagieux qui le séduisait constamment.

Pourquoi avait-il posé cette question ? Les livres n'étaient-ils pas suffisants ? La réponse était simple. C'étaient ses petites-filles !

— Considérez que c'est chose faite, dit-il en tapotant deux genoux osseux de part et d'autre.

Sassy lui donna une petite poussée.

— Et toi, grand-papa, qu'est-ce qui *te* ferait le plus plaisir ?

— Ah, c'est une bonne question. Voyons voir.

Il baissa la tête et se couvrit les yeux d'une main.

– Il réfléchit, dit Sissy, hochant la tête en signe d'approbation.

La paix sur terre, voilà ce qu'il voulait.

– Un frangin et une sœurette en bonne santé !

Un autre vœu qui lui tenait à cœur.

– C'est quoi frangin et sœurette ? demanda Sassy.

– Un frère et une sœur.

– Oui, un de chaque, dit Sissy. C'est ce que j'ai demandé dans mes prières.

– Que diriez-vous d'une balade au bout de la rue ?

– À la pâtisserie Sweet Stuff ! s'écrièrent-elles ensemble.

Il venait juste de ramener les filles à la maison après leur visite chez Sweet Stuff et il s'apprêtait à partir pour l'Oxford lorsque le téléphone sonna.

– Père Tim ?

– Lui-même.

– Lew Boyd, mon père. J'ai besoin de parler à quelqu'un.

— Je suis à vous.

— Pouvez-vous passer à la station ?

— Eh bien... voyons voir. Certainement ! J'ai justement besoin d'essence. Dans trente minutes ?

Par après, il irait travailler quelques heures à l'Oxford...

— J'apprécierais. J'vais vous faire un grand nettoyage et vous donner un sent-bon pour l'auto, pêche mûre que ça s'appelle. Un cadeau d'la maison.

— Merci, Lew. Je vais laisser faire la « pêche mûre », mais je vous vois dans une demi-heure.

... après l'Oxford, il se précipiterait au centre commercial de Wesley pour acheter quelques poissons rouges et une paire de patins. Deux paires, en fait. Puis, le retour à la maison avec les ingrédients de la tarte au chocolat qu'il cuisinerait pour le lendemain — il était préférable qu'elle repose toute la nuit — et enfin une dernière heure passée à l'Oxford avant d'apprêter le dîner avec sa chère épouse.

Il était quelque peu étourdi par tout ce qu'il avait à faire, sans parler de la sapristi coupe de cheveux qu'il devrait subir à un moment donné...

Lorsque le téléphone sonna de nouveau, il n'avait pas l'intention de répondre, mais sa main s'était élancée telle une flèche et il se retrouva à prononcer :

— Allô !

— Père Tim ?

— C'est vous, Esther ?

— Oui. Le père Talbot est un homme occupé, vous savez.

— Ah, oui. Je suppose qu'il est en train de faire ses bagages pour l'Australie.

— Alors, j'aimerais vous demander conseil.

— Allez-y. Cela me fait plaisir de vous aider, dit-il en consultant sa montre.

— Je suis simplement humaine.

— Effectivement.

— Je déteste l'admettre.

— Vous pouvez me le dire.

— Vous connaissez le vieux Mueller ?

— Oh, oui.

— Tous les Noël, je lui apporte un gâteau à la marmelade d'oranges.

— C'est *très* bien de votre part, Esther.

— La Bible nous dit de rendre visite aux pauvres, mais je ne veux plus le faire.

— Ah bon.

— Je traversais Main Street l'autre jour et ce vieux bouc m'a pratiquement écrasée ; il n'a même pas ralenti.

– Ne le prenez pas personnellement, Esther.

– Et dire que, Gene et moi, nous faisons l'effort de nous rendre chez lui chaque veille de Noël en pleine noirceur pour lui livrer son gâteau !

– Je pense que sa vision diminue. Il m'a presque tué à quelques reprises.

– Serait-ce de l'hypocrisie de lui apporter un gâteau même si je n'en ai pas envie ? Ou est-ce pire de seulement penser le faire sans m'exécuter ?

– Vous voulez mon humble opinion ? Ce serait pire !

Il l'entendit soupirer.

– Je savais que vous diriez cela.

Oncle Billy remontait la fermeture éclair de sa veste quand son épouse entra dans la cuisine. Elle était vêtue d'une sortie de bain en chenille rose et d'un chapeau cocktail muni d'un voile à mailles fines.

– Où tu vas comme ça, Bill Watson ?

– *Au bout d'la rue !* cria-t-il, en saisissant sa canne posée derrière le fauteuil.

– Tu restes assis là et tu fais le malade. Si tu vas mieux, ils n'enverront plus Mlle Betty cuisiner pour nous et il faudra nous contenter d'une casserole de poissons.

Le voile tremblait.

– C'est pas un chaudron d'choux rosettes qui va m'faire rester attaché ici comme un prisonnier qui serait enchaîné.

Il s'enfonça un vieux chapeau de laine jusqu'aux oreilles et fouilla ses poches à la recherche de ses gants.

– Je vais voir pour trouver une *douille !*

– *Bredouille ?* J'entends tout ce que tu dis, clair comme le jour. C'est toi qui bredouilles, Bill Watson ! Où vas-tu ?

– *Voir l'père Noël !* cria-t-il de toutes ses forces.

– Le père Noël ! s'exclama sa femme.

Et voilà, c'était la preuve qu'elle entendait bien tout ce qu'elle voulait entendre.

– Dis-lui de ne pas passer par la cheminée cette année, dit-elle. Elle est pleine d'écureuils. Propose-lui d'entrer par la porte arrière ; nous laisserons la moustiquaire déverrouillée.

Le visage de son épouse s'était illuminé comme celui d'une jeune fille. En descendant les marches, une à la fois, il ressentit une grande joie de savoir que le Seigneur l'accompagnait dans ce qu'il s'apprêtait à faire.

Ce n'était pas la première fois qu'il faisait une consultation dans une camionnette, l'appareil de chauffage à fond.

– Ça fait un bout d'temps que j'veux vous parler, dit Lew, mais vu qu'Earlene et moi on s'est mariés chez le juge, ça m'paraissait injuste de vous déranger.

– Cela ne me dérange pas du tout, Lew. Qu'est-ce qui vous préoccupe ?

Lew jeta un coup d'œil sur sa Timex.

– J'dois faire vite. Y a une Honda qui s'en vient pour ses sabots d'frein.

– Ah bon.

– C'qu'y a, c'est que j'ai épousé Earlene, même si elle avait pris l'engagement de prendre soin d'sa maman jusqu'à ce qu'la vieille meure et même si elle voulait continuer d'travailler à la fabrique de farine jusqu'à sa retraite.

– Je vois.

– Mais elle me manque. Je m'sens aussi seul qu'un orphelin. Vous comprenez c'que j'veux dire ?

– Je comprends exactement ce que vous voulez dire.

– Mais tout est joué maint'nant ; elle vit avec sa maman et ne peut même pas lui dire qu'elle est mariée. Ses sœurs pensent que ça la tuerait sur le coup. La vieille femme a dans les quatre-vingt-dix ans et son cœur est pas fort fort. Alors, en plus d'tout ça, il faut garder l'secret. J'en ai parlé à personne à part vous. Si j'le faisais, la nouvelle courrait aussi vite qu'un chien échaudé.

– C'est vrai.

– Et pis j'ai l'impression que c'est pas correct de ma part de m'attendre à aut'chose que c'qui a été entendu avant not'mariage.

– À ce moment-là, vous avez accepté d'attendre ?

– Oui, mais c'est pus l'cas maint'nant.

– L'avez-vous épousée parce que vous l'aimiez ou parce que vous étiez un veuf souffrant de solitude ?

– J'vais pas vous mentir. C'est un peu pour les deux, mais surtout parce que je l'aime. C'est une bonne femme, ça c'est ben vrai.

– Vous êtes-vous adressé à Dieu ?

– J'vais à l'église de temps en temps, mais j'suis pas trop accroché à la religion.

– Pourquoi donc ?

— On dirait que Dieu ne veut pas s'occuper d'moi, répondit Lew en haussant les épaules.

— Pourquoi ne le voudrait-Il pas ?

— J'sais pas. J'ai pas toujours bien agi dans la vie.

— Moi non plus.

— Pas vous !

— Oui, moi.

— Nom d'un chien !

— Je suis un pécheur sauvé par la grâce, Lew, pas par mon travail. Que je sois prêtre n'a pas la moindre importance. Ce qui importe, c'est de nous en remettre à Dieu afin de recevoir Son pardon et d'établir une relation personnelle avec Son Fils.

— Earlene a c'genre de truc avec, vous savez... dit-il en désignant le ciel.

— Aimeriez-vous que ce soit votre cas aussi ?

Lew jeta un coup d'œil par la fenêtre du conducteur, puis il se retourna et regarda le père Tim. Des larmes coulaient sur son visage mal rasé.

— J'sais pas. J'suppose que j'suis pas prêt pour c'genre de chose.

— Quand vous le serez, il existe une prière qui, si vous la récitez avec une véritable dévotion, vous mettra en Sa présence et changera à jamais votre vie.

Lew essuya ses yeux sur la manche de sa veste.

– C'est pas trop compliqué ?

– Aussi simple que ceci : « Merci, mon Dieu, de m'aimer et d'avoir envoyé Votre Fils qui est mort pour mes péchés. Je me repens sincèrement de mes fautes et je reçois le Christ comme mon Sauveur personnel. En tant que Votre enfant, je remets totalement ma vie entre Vos mains. »

– C'est tout ?

– C'est tout.

– J'suis pas sûr d'vouloir remettre toute ma vie ent'ses mains.

– Une vie entière est une chose assez difficile à gérer par soi-même.

– Ouais, M'sieur.

Un profond silence régnait tandis que l'appareil de chauffage fonctionnait à plein régime.

– Entre-temps, proposa le père Tim, nous pouvons prier en pensant à ce que vous venez de me confier ?

– Ouais, M'sieur. J'apprécierais, ajouta Lew en se penchant la tête.

– Seigneur, merci de Ta grâce et de Ta miséricorde. Tu connais la situation et Tu as entendu le cœur de Lew à propos de cette épreuve. Nous demandons simplement, mon Père, que Votre volonté soit faite. Par la grâce de Jésus, Votre Fils notre Sauveur, amen.

— J'vous d'mande pardon, mon père, mais ça m'paraît pas grand-chose.

— C'est la prière infaillible, Lew.

— Infaillible ?

— Elle réussit toujours. J'espère que vous la réciterez au cours des jours et des semaines à venir.

Lew réfléchit quelques instants.

— Qu'est-ce que c'était encore « Que Votre volonté soit faite » ?

Il hocha la tête d'un air songeur et poursuivit :

— O.K. D'accord. J'peux l'faire. J'ai rien à perdre.

— Bien pensé, mon ami !

— Voici ma Honda. Holà, on dirait qu'elle a pus du tout d'freins.

Le père Tim ouvrit la porte du passager et descendit.

— Jolie camionnette, dit-il en donnant un coup de pied amical sur le pneu avant.

Chère Emma,

Je prie toujours pour vous.

Manteau noir.
Salutations sincères,
Le père Tim

Les bras croisés, debout devant l'étagère pleine, Andrew examinait le travail accompli jusqu'à ce jour.

— Mon père, vous semblez vous être trouvé un talent caché.

— Certainement pas !

Il ressentit une pointe de bonheur en entendant ces mots.

— La manière dont vous avez agencé les couleurs…

— Comme vous le savez, j'ai eu beaucoup d'aide.

— Oui, mais c'est vous qui avez fait le mélange et l'application. Ce vieux berger vêtu de cette simple tunique brune est particulièrement réussi. Bravo !

— Merci. Je dois avouer que j'aime ce personnage avec sa tête penchée et son visage solennel.

Il ne se souvenait pas qu'un compliment l'ait rendu aussi heureux.

— J'ai toujours eu l'impression que vous pourriez écrire de la poésie, que vous en aviez quelque part un tiroir plein.

Andrew se tourna vers lui en souriant.

— Est-ce que je me trompe ?

— George Herbert a écrit tous mes poèmes, dit le père Tim en riant.

— J'ai également pensé que vous pourriez être essayiste. Avez-vous déjà tenté d'écrire un essai ?

— Oui, et j'ai échoué.

— Ah ! Eh bien ! un homme a ses limites. Je dois vous dire que j'apprécie avoir tous ces personnages ici. Ils ajoutent une certaine grâce. Vous allez tous me manquer à Noël. Au fait, vous avez pensé à une étable ?

— Pas pour cette année, dit le père Tim en considérant le travail qui restait à faire. Un homme a ses limites, ajouta-t-il en souriant.

Il avait été tellement occupé que la vérité toute crue venait à peine de le frapper. Dans quelques jours seulement, l'une des institutions les plus importantes de Mitford allait disparaître de la carte.

Pour certaines personnes, perdre le Grill, c'était comme se faire amputer un bras ou une jambe, ou du moins quelques doigts. Par contre, à part Edith Mallory qui avait montré un certain intérêt malgré le nombre de places limité (un inconvénient qui n'avait rien de bon pour la marge de profit), personne n'était prêt à prendre la relève.

En effet, les vieux appareils de cuisson et de réfrigération devaient être démolis dès la fermeture. Selon la rumeur, ils seraient transportés au dépotoir sans aucune forme d'au revoir. Puis, le magasin de souliers s'installerait, clouant ses étagères au mur...

Le père Tim venait tout juste de sortir ses pinceaux lorsque Mule passa la tête dans l'embrasure de la porte.

– Vous avez une minute ?

Le père voulut accourir à la porte pour distraire son visiteur, mais il était trop tard. Mule pénétra dans la pièce et resta bouchée devant les personnages alignés sur l'étagère.

– Sacrebleu ! Qu'est-ce que vous faites tous ici ? Regardez-moi ça !

– C'est une affaire secrète, à ne pas dévoiler.

Andrew s'était absenté, probablement pour aller à la banque...

— Comme c'est beau, dit Mule, admiratif. Les bergers, les rois mages, pis tout l'reste !

— Oui, mais ne dis rien à personne !

Il espérait que son ton de prédicateur soulignerait l'importance de son ordre.

— Vous faites tout ça ?

— Avec un peu d'aide de mes amis.

— Comment ça s'fait que vous m'ayez pas impliqué dans c'projet. J'suis vot' ami.

— C'est vrai.

— C'est qui, lui ?

— Joseph.

Mule avait les yeux grands ouverts.

— Regardez-moi c'mouton, pis l'âne. J'aime les ânes. C'est que'qu'chose à voir ; vous devriez les exposer que'qu'part dans une vitrine. Par contre, vot'chameau est pas trop beau.

— Il n'a pas encore été peint.

— Vous devriez m'laisser essayer ; j'ai peinturé not'salle de bain pis not'galerie.

— C'est Dooley qui va peindre le chameau. Il rentre à la maison demain soir. Demain soir !

— Où est l'Enfant-Jésus ?

Le père Tim prit la mangeoire, puis la statuette dans la boîte et berça la pièce dans ses mains.

Mule toussa un coup.

– Eh ben, dit-il, c'est que'qu'chose ! Et l'étable ?

– Il n'y a pas d'étable.

– Il vous faut une étable.

– Je n'ai pas le temps de fabriquer une étable, peut-être l'an prochain.

– J'ai déjà construit une ou deux bricoles. Vous pourriez ach'ter une caisse d'oranges chez Avis, la transformer un peu en plantant que'qu'clous, et pis vous auriez vot'étable.

– Je te rejoins demain pour le lunch.

– J'ai pensé qu'on devrait organiser que'qu'chose pour Percy et Velma. Vous voyez c'que j'veux dire ? Il devrait *s'passer* qu'chose, le dernier jour.

– Je croyais que Coot Hendrick préparait une célébration.

– Il a rien fait encore ; en plus, il est pris avec une pneumonie.

– Ah, dit le père Tim en respirant profondément. Il ne reste plus beaucoup de temps, mais… pourquoi ne pas leur organiser une fête ?

Mule mijota cette proposition.

– Vous voulez dire, vous pis moi ?

– Quelqu'un doit prendre les choses en main.

– Où ça aurait lieu ?

— Au Grill. La veille de Noël. Juste après le lunch, à la fermeture.

— Qui va faire la nourriture ? On peut pas d'mander à Percy…

— Si c'est après le lunch, personne n'aura faim. Ou peut-être qu'on pourrait juste avoir, je ne sais pas, du *dessert*.

— Quelle sorte de dessert ?

— Je n'ai pas vraiment d'idée. Peut-être quelques gâteaux et je ferai le café. Je sais comment fonctionne la cafetière ; elle est là depuis cent ans.

Mule ne semblait pas convaincu.

— Qui va payer pour les gâteaux ?

— On passera le chapeau. Peut-être qu'on ramassera assez d'argent pour acheter à Percy et Velma leurs billets pour aller voir les cerisiers en fleurs à Washington. Qu'en penses-tu ?

— Ouais ! dit Mule en souriant. Bonne idée !

— Alors, on se voit demain à l'heure du lunch !

À ce moment, le père Tim sentit une légère décharge d'adrénaline.

Qu'est-ce qui lui avait pris ? Une fête au Grill le jour de la messe de minuit à Lord's Chapel, en plus de la décoration de l'arbre, de l'installation secrète de la crèche dans la salle de séjour et de l'organisation de leur repas de Noël !

Avait-il perdu la *tête ?*

De toute évidence, la réponse était oui.

Il appliquait du glacis sur la tunique de Joseph lorsque J.C. Hogan entra précipitamment dans la pièce.

— Oh là là ! s'exclama le père Tim. On dirait la gare centrale !

J.C. lança son gros porte-documents à moitié ouvert sur une chaise.

— J'ai entendu dire que vous viviez ici main-t'nant, que vous aviez un lit d'camp dans l'arrière-boutique.

— Qui t'a fait entrer ?

— J'suis entré tout seul. Fred décharge un camion dans la ruelle, pis Andrew est à l'aut'bout d'la rue.

Il déplia un mouchoir de poche et s'essuya le visage.

— Qu'est-ce qui s'passe ? J'vous ai cherché dans les avis de décès.

— Qui t'a dit que j'étais ici ?

— Tout l'monde sait qu'vous êtes ici. Alors c'est quoi ?

— De quoi parles-tu ?

— C'est quoi qu'vous peignez ? Ça r'ssemble à ma famille, dit J.C. en ricanant.

— Écoute, J.C., tu dois garder le secret. Je prépare une surprise pour Cynthia. Tu me donnes ta parole ?

— J'suis pas bon pour garder les secrets !

— Vous avez pas tout fait ça ? dit J.C. en regardant les pièces sur l'étagère.

— Je n'ai pas tout fait ça.

— On dirait une scène de Nativité...

— C'est ça. Et crois-moi, si tu dis quelque chose à quelqu'un, tu auras affaire à moi.

— O.K. D'accord, c'est pas moi qui va en parler. Mon vieux, c'est superbe. J'savais pas que vous faisiez ce genre de chose.

— Moi non plus.

— Où est l'étable ?

— Il n'y a pas d'étable.

— Tout l'monde sait qu'ça prend une *étable* dans une scène de *Nativité*. Un p'tit bébé peut pas s'retrouver couché au *grand air,* vous m'suivez ?

— Pasteur ?

La tête d'oncle Billy venait d'émerger du cadre de la porte.

– Oncle Billy ! Que faites-vous en ville ?

– J'achète du bois ! répondit le vieil homme, révélant une dent en or qui brillait. Dora m'a dit qu'vous travailliez ici.

– Hoppy a-t-il dit que vous pouviez sortir et vous trimbaler partout ?

– Il a dit que j'pouvais m'prom'ner dans la cour. J'suppose qu'un homme peut échanger la cour contre la rue.

– Quelle sorte de bois ?

Il tapota un paquet sous son bras.

– J'fais un cadeau à Rose. Noël s'en vient, vous savez.

– Écoutez, dit l'éditeur du *Muse*. J'me sauve. On ira luncher ensemble au salon d'thé après Noël.

– D'accord. Au fait, nous organisons une petite fête pour Percy et Velma, juste après le lunch, la veille de Noël. J'espère que tu viendras.

– Bien sûr que j'irai, sacrebleu. J'suis dans l'journalisme, c'est mon job d'être là.

– Tenir le Grill durant plus de quarante ans mérite une première page, dit le père Tim d'un ton sincère.

— Ne m'faites pas d'sermon, mon vieux ! ajouta J.C. en empoigna son porte-documents avant de quitter les lieux.

Le père Tim souriait.

— Oncle Billy, pas de repos pour les vilains, et les justes n'en ont pas besoin.

Oncle Billy sourit à son tour. Il aimait que le pasteur reprenne ses dictons.

— J'espère que vous et Mlle Rose viendrez à la fête. Vous connaissez le Grill depuis longtemps.

— Non, M'sieur. J'peux pas. J'ai pas mal de pain sur la planche et pas d'temps à gaspiller. C'est quoi qu'vous faites ?

— Je restaure une crèche de Noël pour faire une surprise à Cynthia.

Le vieil homme contempla l'étagère, bouche bée.

— C'est-y pas merveilleux.

Le père Tim se rendit compte qu'il aimait montrer les personnages ; le regard des autres leur conférait encore plus de sens.

— Avez-vous *fait* tous ces animaux, pis tout l'reste ?

— Non, M'sieur. Je les ai seulement peints. Et je les ai rafistolés un peu.

— Ils sont exquis, dit oncle Billy, profondément ému.

Il avait appris ce mot durant son enfance et n'avait pas souvent eu la chance de l'employer.

— Exquis !

— Merci.

— Des rois mages ! Des moutons ! Sapristi ! Y en a tout un troupeau, aussi vrais qu'nature ! Et votre ange, r'gardez-moi ça ! Y a-t-il juste un ange ?

— Oui, M'sieur. Il y en avait deux, mais j'en ai échappé un et je l'ai cassé.

Cette pensée l'attristait encore.

— Et vot'Enfant-Jésus, c'est l'attraction principale. Il est où ?

Le père Tim prit l'Enfant dans la boîte et le tint dans ses mains. Étrangement, il eut l'impression d'en être le parent.

— Il est costaud !

— Effectivement !

— Où est vot' étable ?

— Nous n'avons pas d'étable. Nous avons tout fait pour que les pièces soient prêtes la veille de Noël.

— C'tte bande a b'soin d'une étable. Ça prendrait jus' deux trois coups d'marteau pour en forger une.

— Facile à dire pour vous, oncle Billy, mais je ne vaux pas grand-chose avec des clous et un marteau. Vous avez une blague à me raconter ? Un homme a besoin de rigoler pour agrémenter son travail.

— J'en avais une bonne y a pas longtemps, mais j'm'en rappelle pus.

— Ah ah !

— J'ai l'ciboulot rempli d'toutes sortes d'affaires, mais j'me souviens pas d'mon nom d'baptême.

— Cela peut arriver à cette période de l'année.

— En v'là une en attendant que j'me rappelle d'ma nouvelle blague. Un homme a tombé dans un lac, vous savez. Il était en train d'se noyer quand un type est arrivé et l'a sorti d'là. Son pasteur lui a dit : « Tu devrais donner cinquante dollars à ce type qui t'a sauvé la vie. » Il a répondu : « J'peux y donner vingt-cinq. J'étais à moitié mort quand y m'a sorti. »

— Père Tim ?

— Hope ! Entrez, entrez !

C'était une journée portes ouvertes.

— Oncle Billy ! dit-elle en tendant la main. Comment allez-vous ? Contente de vous voir dehors !

— J'vais m'en sortir.

Hope avait un teint rosé, pensa le père Tim. Le froid hivernal faisait rougir les joues de tout le monde.

— Mon père, je voulais vous parler…

Il trouvait que sa libraire favorite paraissait timide comme une colombe, ce qui la rendait particulièrement jolie.

— C'est un sujet spécial, mais je peux revenir…

Fred passa la tête dans l'entrebâillement de la porte et jeta sur coup d'œil sur l'assemblée.

— Désolé, M'sieur. J'aidais à décharger un camion.

— Ne t'en fais pas, Fred.

— Il y a un appel pour vous. Vous l'prenez ici ?

— J'me sauve, dit oncle Billy. J'vais surveiller vos œuv' dans les journaux comiques.

— Merci pour la blague, dit le père Tim. Je vais en rire quand j'aurai une minute.

— Oncle Billy, vous voulez que j'vous ramène à la maison ? dit Fred en laissant tomber ses gros gants.

— Non, M'sieur. J'suis en train d'rouiller comme une vieille clôture. J'ai b'soin d'me dégourdir un peu.

Le père Tim entra dans la boutique et prit le sans-fil que lui tendait Fred.

— Tim Kavanagh à l'appareil…

— Oui, oui, dit-il. Depuis de nombreuses années…

– Un personnage, travailleur infatigable, honnête et toujours franc…

– Ah ah ! Que Dieu soit loué ! J'espère que vous allez vous en charger immédiatement. Le temps file…

Le téléphone toujours collé à l'oreille, il contourna une commode anglaise de style régence.

– Oui, en effet. Ce sera bon pour toutes les parties concernées. Vous avez ma parole…

– Bien joué. Que Dieu vous bénisse !

Il retourna dans l'arrière-boutique où Hope examinait les personnages sur l'étagère.

Elle se tourna vers lui et lui sourit d'un air admiratif.

– Mon Dieu, père Tim, vous ressemblez au chat de Cheshire !

– En réalité, ma chère, moi aussi j'ai quelque chose de spécial à vous annoncer ! Mais à vous, d'abord.

Elle prit une grande respiration.

Durant toutes ces années, depuis qu'il connaissait Hope Winchester, jamais il ne l'avait vue aussi… *joyeuse,* et c'était le bon mot.

– Je voulais vous dire…

– Oui ?

– … que je suis amoureuse.

Des larmes apparurent aussitôt dans les yeux du père Tim.

– Avec Scott, mon père.

– Oui, dit-il. Et les mots me manquent pour exprimer le bonheur que je ressens pour vous deux.

Il sortit son mouchoir et s'essuya les yeux, puis il l'enlaça chaleureusement.

Le Bon Dieu avait vraiment choisi une bonne façon de combler la place vide à leur table pour le repas de Noël.

– Oh, et mon père...

Elle ouvrit son sac à main et en sortit une enveloppe.

– Avant que j'oublie, je dois vous montrer...

Dans la salle de lavage, à l'abri des regards indiscrets, les poissons rouges batifolaient dans un bocal en cristal ; les patins à glace étaient emballés dans du papier aux couleurs vives et rangés par terre dans le placard ; le réfrigérateur et le garde-manger regorgeaient de victuailles et il ne ferait pas un autre voyage à Wesley avant le dégel – point final et fin de la discussion.

Il avait dressé sa liste, l'avait vérifiée deux fois et, d'une certaine façon, il en était à boucler les affaires. La question de la coupe de cheveux, par contre, demeurait irrésolue.

Avec anticipation, il remontait Lilac Road en direction de la maison de Joe Ivey.

— Je fais le barbier seulement quand j'en ai envie, dit Joe, occupé à une image en points de croix d'un père Noël disparaissant dans une cheminée.

— Eh bien, en avez-vous envie ?

— Non, M'sieur, répondit Joe. J'en ai pas envie.

Donc, premièrement, il avait fait de son mieux et avait échoué dans sa tentative.

Deuxièmement, jamais, au grand jamais, il ne mettrait sa tête entre les mains de Fancy Skinner ; pas d'agneau sacrifié pour ce pasteur de campagne.

Troisièmement, il n'avait pas eu le temps de s'en occuper lors de son passage à Wesley aujourd'hui et il n'avait aucunement l'intention d'y retourner pour s'y faire couper les cheveux. De toute façon, les barbiers s'y montraient trop gourmands.

— Fred, dit-il, tu as déjà coupé des cheveux ?

— J'ai coupé ceux de ma femme, une fois.

Une fois. Ce n'était pas encourageant.

– Elle r'ssemblait tellement à son frère qu'les gens croyaient qu'il s'était mis à porter une jupe.

– Hum.

– J'suis tombé en disgrâce un bon bout d'temps. Mais mon grand-père, lui, c'tait tout un barbier. Il coupait les ch'veux des hommes durant la période d'la tonte. Il prenait aussi les voisins. Son p'tit commerce sur la galerie arrière allait bon train.

– Je vois.

– En plus, de temps à autre, il arrachait des dents.

– Il avait le sens des affaires !

Pas question de demander à Dooley. Dooley Barlowe lui avait déjà fait un genre de dentelure à la nuque. Il consulta sa montre ; il avait reçu l'ordre strict d'être à la maison dans quarante-cinq minutes...

– C'est vous qui voulez vous faire couper les cheveux ?

– Oui, Fred, c'est moi, répondit-il en soupirant.

– J'aurais rien dit...

Fred ne finit pas sa phrase, mais haussa les sourcils.

Le temps filait ; il fallait risquer le tout pour le tout.

– De quoi as-tu besoin pour cette tâche ?

– De ciseaux et d'un peigne.

— J'ai un peigne, dit le père Tim.

— Et j'ai des ciseaux, lança Fred.

— Et tandis que nous y sommes, depuis quelque temps, ma molaire gauche me fait mal.

Ils éclatèrent de rire. Au pire, il pourrait toujours porter un chapeau à l'extérieur de la maison et durant le service de la veille de Noël ; de toute façon, il ferait sombre dans la nef éclairée par les cierges.

— Installez-vous sur le tabouret, dit Fred, je suis à vous dans quelques instants.

C'est ainsi qu'il accomplit ce qu'on lui avait demandé. *Seigneur,* pria-t-il, *j'apprécierais que vous supervisiez cette affaire...*

Ce matin, mais d'une manière spontanée et désinvolte, il en avait parlé à Cynthia. Il était trop tôt pour s'enthousiasmer.

J'aurai très certainement quelque chose pour vous au début de l'an prochain...

Ce n'est rien d'extravagant et Dieu sait que ce sera un défi...

Mais il ne pouvait s'empêcher de se sentir excité. Chaque fois qu'il y pensait, il sentait son cœur battre un peu plus vite. En route vers la maison, il accéléra le pas et se souvint qu'il s'était surpris par deux fois à siffler au centre commercial.

Neuf

– J'ai réfléchi.

– Les merveilles ne cesseront jamais !

Comme il aimait ce garçon sérieux avec son regard intense, sa chevelure en broussaille et ses quelques taches de rousseur tenaces.

– Je ne veux plus porter le nom de mon père, dit Dooley, dont les sourcils étaient froncés, en fixant le feu qui flambait dans le foyer du cabinet de travail.

Il y eut un long silence : le feu crépitait et l'horloge émettait son tic-tac.

– Je voudrais porter ton nom, ajouta Dooley en se tournant vers lui.

Dooley Kavanagh ! Il en avait déjà discuté avec Cynthia et avait prié plus d'une fois à ce sujet. C'était maintenant à son tour de fixer le feu, sondant son cœur. *Seigneur, j'ai besoin de votre sagesse…*

La voix de Dooley était enrouée à cause de l'émotion.

— Barlowe n'est pas un bon nom à porter.

— Mais toi, tu en feras un bon.

— Qu'est-ce que tu veux dire ?

— Dr Barlowe. En fait, tu en as déjà fait un bon nom. Je suis fier de toi, mon fils.

— Mais je ne veux rien de lui. Rien !

— Tu as quelque chose de très précieux venant de lui : tes frères et ta petite sœur.

Malgré l'obscurité hivernale, aucune lampe n'était allumée. La lueur du feu éclairait le cabinet de travail.

— Si tu prends le nom Kavanagh, tu lui ferais grand honneur. En vérité, rien ne me donnerait plus de fierté. Toutefois, Barlowe est un nom qui t'est venu par un long courant sinueux ; je me rappelle avoir lu à propos d'un certain Barlowe qui était second capitaine de sir Walter Raleigh lors du premier voyage de ce dernier en Virginie, au seizième siècle. À cette époque, conduire un navire jusque-là et le ramener en Angleterre constituait tout un exploit.

Dooley haussa les épaules.

— Tes racines sont anglo-saxonnes et remontent jusqu'aux anciens territoires de l'Angleterre. Ainsi, ton nom représente beaucoup plus qu'un lien avec un homme qui t'a abandonné et qui t'a beaucoup fait souffrir ; on pourrait dire que c'est une partie de ce dont tu es fait...

Le tic-tac de l'horloge ; le ronflement de son chien...

– ... et, mon fils...

– Oui ?

– Tu es fait d'une excellente étoffe.

Dooley, muet, regardait le feu.

– Pourquoi n'y réfléchis-tu pas encore un peu ? Assure-toi de tes sentiments.

Dooley resta immobile. Puis il hocha la tête et, les lèvres pincées, dit :

– O.K.

– Je veux que tu saches que je respecte tes sentiments. Même si je n'ai jamais songé à changer de nom, il m'est arrivé de vouloir tout donner pour couper mes liens avec mon propre père.

Dooley eut l'air surpris.

– Je t'en reparlerai un de ces jours.

Il regarda sa montre.

– Tu m'as dit que tu devais sortir à dix-huit heures trente. Il est dix-huit heures vingt-cinq.

Dooley se cala dans le fauteuil qu'il ne semblait pas vouloir quitter.

– Ce sera vraiment agréable à Meadowgate, l'été prochain.

– Oui ! C'est vrai.

– Toi et Cynthia me manquiez toujours un peu quand j'étais là.

– Ah bon ?

Il se rappelait à quel point il s'était senti dépossédé lorsque Dooley avait choisi de passer l'été à Meadowgate plutôt qu'avec eux ; son cœur avait été torturé.

Dooley regardait ses mocassins.

– Autre chose te tracasse, mon fils ?

– Oui, Monsieur, dit Dooley en inspirant profondément. Je veux vous remercier.

– Pourquoi ?

– Pour tout.

Que pouvait-il répondre ?

– Je te remercie aussi.

– Eh bien..., dit Dooley.

– Tu vas voir un film ?

– Je vais au restaurant.

– Ah ah, dit-il en songeant que cette sortie expliquait la veste qu'il portait.

– Avec Lace.

Il était l'homme le plus curieux de la planète, mais il ne dit rien.

– C'est son anniversaire.

– Son anniversaire ! Quel âge a-t-elle ?

– Dix-neuf. Un an de moins que moi.

– Ah *ah* !

Il fouilla dans sa poche, retira son portefeuille et en extirpa deux billets de vingt dollars.

– Où l'amènes-tu ?

– Chez Mlle Sadie.

Plusieurs personnes du coin appelaient ainsi le restaurant italien des Gregory, le Lucera, étant donné sa situation à l'étage principal de Fernbank.

– Eh bien, dans ce cas ! dit-il en sortant un autre billet de vingt.

Le Lucera n'était pas un restau-pouce. Selon ses souvenirs, le veau piccata ne coûtait pas moins de 24, 95 $.

– Les clés de la voiture sont sur la table de l'entrée.

– Merci, papa.

Dooley souriait. Il s'assura que la photo du président Jackson était dans le même sens sur les trois billets ; puis il les plia et les rangea dans la poche de son pantalon kaki.

— Son couvre-feu est à vingt-trois heures trente. Je rentrerai tout de suite après.

— Dooley…

— Oui, Monsieur ?

Je t'aime, voulait-il dire.

— Amuse-toi bien ! Nos amitiés et nos meilleurs souhaits à Lace.

— Oui. Compte sur moi.

— Sois prudent.

— Oui, Monsieur.

— N'oublie pas que le chauffage est un peu lent à démarrer et que la radio ne capte qu'une station.

— Entendu. À plus tard.

— On annonce de la neige pour ce soir !

Dooley disparut par la porte de la cuisine ; le père Tim courut derrière lui dans le corridor.

— Dooley ?

Dooley se retourna ; la lumière de la lampe près de l'escalier se reflétait sur son visage.

— Oui, Monsieur ?

— Je t'aime, dit-il, la gorge nouée.

— Où diable sont passées mes poignées ?

Il commençait à peine à monter les marches arrière près de la poubelle que son épouse l'interpellait.

– Quelles poignées ?

– Celles des armoires, sous le tiroir de l'argenterie ! Comment est-on supposé faire pour ouvrir les portes ?

– Tu fous une sacrée lame de couteau sous la porte, pis elle va s'ouvrir tout d'un coup.

Il faisait très froid ce matin-là. Oncle Billy enfonça une main dans la poche de sa veste et, de l'autre, il brandit sa canne.

– Laisse-moi entrer, sacrebleu !

– Je te laisserai entrer, Bill Watson, quand tu m'auras dit ce que tu as fait de mes poignées d'armoire !

– *J'les ai données au bon vieux père Noël, c'est ça qu' j'ai fait !*

– Père Noël, mon œil !

– Il est v'nu les chercher, pis j'les ai données. Y a rien dans ces armoires-là, juste un paquet d'tasses en carton que t'as ramenées d'l'église.

– Et des *figues Newtons*, dit-elle, l'air profondément dégoûté.

Chère Louise,

Merci d'avoir téléphoné hier soir. Tu me manques aussi. Je sais que la maison semble bien vide sans maman et je ne te blâme pas de vouloir un changement, même si cela peut s'avérer difficile. Je me rends compte que Dieu veut ce qu'il y a de mieux pour nous et, si nous prions pour que Sa volonté soit faite dans notre vie, Il nous indiquera comment et quand avancer et Il nous guidera.

Tu sais que j'avais finalement abandonné, et puis l'appel du père Tim est arrivé. Ils m'ont téléphoné presque à la dernière minute ! N'est-ce pas étrange que ma lettre ait été perdue et qu'au moment où ils l'ont lue à Mme Mallory elle ait cligné des yeux pour signifier qu'elle acceptait ma proposition ! Dieu m'a accompagnée tout au long de ce projet et Il t'aidera à faire un gros changement dans ta vie.

Voilà pourquoi je t'écris. Je crois que Dieu m'a donné une autre bonne idée. J'espère que c'est ce que tu penseras, toi aussi.

Je sais que cela paraît incroyable, mais j'ai toujours aimé que nous partagions la même chambre et même que nous échangions nos vêtements. Le seul article qui m'appartenait vraiment, c'était le chandail bleu avec de la broderie et je sais que tu le portais en cachette quand je n'étais pas là !

Louise, veux-tu à nouveau partager une chambre avec moi ?

Viendrais-tu vivre à Mitford, au-dessus de Happy Endings, et m'aider à faire grandir la librairie ? Au début, je ne pourrai pas te payer bien cher mais, si nous louons la maison de maman, cela nous aidera financièrement et, à mesure que les affaires iront mieux et quand la dette sera réglée, nous nous entendrons sur un salaire raisonnable.

Tu n'as jamais apprécié ton travail informatique à l'hôpital et je pense que tu aimeras la librairie autant que moi. Tu ferais des merveilles avec notre programme de lecture estival. Helen n'a jamais voulu y participer et je suis déterminée à en organiser un, l'an prochain ! Tu serais également une aide inestimable dans le secteur des livres rares, entièrement exploité par Internet.

J'ai gardé le meilleur pour la fin. Le voici :

Je pense que tu aimeras vivre à Mitford ! Je peux me rendre presque partout à pied, je connais tout le monde et tout le monde me connaît. Les gens sont vraiment merveilleux (la plupart du temps !) et je peux pratiquement te promettre que, tout comme moi, tu trouveras à Mitford une vie agréable.

Tu n'aimes pas conduire plus loin que Granville, mais Mitford n'est qu'à cent soixante kilomètres et il n'y a que trois virages – tous à gauche !

Je sais que cela semble arriver de nulle part mais, à bien y penser, c'est souvent de là que viennent les bonnes choses.

Affectueusement,
Hope

P.S. : J'ai décidé de t'écrire au lieu de te téléphoner pour te laisser une meilleure chance de réfléchir. Je prie pour toi et je suis excitée à l'avance à l'idée que tu dises oui !

P.P.S. : J'aimerais que tu puisses voir l'arbre de Noël dans la fenêtre au-dessus de HE.

Hope plia la lettre et l'inséra dans une enveloppe ivoire qu'elle cacheta. Elle parlerait de Scott à Louise après Noël. Ses sentiments envers Scott étaient très tendres et intimes ; elle ne pouvait en parler à personne, mais le père Tim, bien sûr, était au courant.

Elle plaça la théière sur la plaque chauffante, puis jeta un regard dans sa nouvelle pièce : les tableaux aux murs, les bibliothèques remplies de livres qu'elle aimait depuis des années, les rideaux de dentelle laissant filtrer la lumière du dimanche après-midi qui éclairait le tapis pâli. Elle savait qu'elle ne s'était jamais sentie aussi heureuse, aussi remplie d'espoir, aussi profondément reconnaissante.

Elle prépara le thé, puis apporta la théière et une tasse à son bureau. Elle s'installa dans son vieux fauteuil préféré provenant de la galerie avec grillage-moustiquaire de sa mère et retira une autre feuille de papier ivoire de la boîte. Elle tenait sa plume au-dessus, en souriant.

Scott Lewis Murphy, écrivit-elle.

Scott Lewis Murphy

Scott Lewis Murphy

Elle souhaitait aussi écrire un autre nom, mais, oh non, elle ne devait même pas y penser. Elle ne devait pas espérer tout de suite une chose aussi précieuse…

Elle se versa une tasse de thé et en prit une gorgée en regardant les motifs de lumière sur le tapis. Elle se rendit compte que, plus que toute autre chose, elle voulait écrire cet autre nom, mais elle craignait que ce geste lui porte malchance.

Soudain, elle se rappela qu'elle ne croyait plus à la chance, bonne ou mauvaise. Elle croyait en la grâce, uniquement en la grâce.

Mme Scott Lewis Murphy

Mme S.L. Murphy

Hope Elizabeth Murphy

Dooley ricana en le voyant.

— Je ne peux pas faire ce chameau !

— Si je le peux, tu le peux aussi.

— Non, Monsieur. C'est beaucoup trop difficile, je n'y arriverai jamais. Ce personnage est immense.

— Oui. C'est vrai. Mais il doit être fait et je comptais sur toi. J'ai juste assez de temps pour repeindre la Madone et l'Enfant.

— Je suis désolé. Vraiment. Mais je ne peux pas. C'est…

Dooley chercha un mot, sans le trouver, puis se contenta de dire :

— Je ne peux pas.

— Tu peux choisir une couleur, je la mélangerai et tu l'appliqueras… Nous devrions peut-être dessiner un peu au pochoir…

— Juste un peu, dit Fred.

— Non. Je ne peux pas. Vraiment. Je pensais qu'il s'agissait seulement d'appliquer un peu de peinture, de s'amuser quoi.

— C'est amusant, je t'assure.

— Et son oreille ? Que dois-je faire pour son oreille ?

– Je m'occupe de l'oreille.

Dooley réfléchit un instant.

– Non, Monsieur, dit-il d'un ton ferme. Je ne peux pas. Mais tout est superbe. Je suis très impressionné.

Le père Tim jeta un regard implorant à Fred.

– Ma femme va à son activité de courtepointe ce soir. J'peux vous donner un coup d'main.

– On aura le temps ?

– Ça va prendre quelques soirées, mais on va y arriver !

Il se pencha pour taper sa main contre celle de Fred.

– Ce chameau n'est pas bien peint, dit Dooley. Pourquoi ses yeux sont-ils marqués de rouge ? On dirait qu'il vient de passer quelques semaines à subir une série d'examens. Et cette couverture entre ses bosses est vraiment d'une drôle de couleur.

– Eh bien, mon grand, de quelle couleur peindrais-tu la couverture ?

– Rouge.

– La couleur de ta tête, dit le père Tim.

Dooley rigola.

– Vous êtes un poète qui s'ignore, dit Fred au père Tim.

Il avait souhaité le calme et l'équilibre, mais il se rendait compte que ses bonnes intentions s'envolaient car il ne tenait plus en place. La veille de Noël était arrivée et il n'y avait pas de repos pour les vilains.

Peindre, peindre et peindre encore. Il s'était démené avec Fred pour terminer ce chameau à temps et, personnellement, jamais il n'aurait monté sur cet animal pour traverser le désert !

Avait-il tout ce qu'il fallait pour apprêter le jambon ou n'avait-il qu'imaginé un pot de mélasse sur la tablette du garde-manger ?

— Seigneur, murmura-t-il dans la pièce sombre, pourriez-Vous prendre en main les tâches de la journée ? Et, comme l'a si bien dit M. Shakespeare, « Merci, merci et encore merci ! »

Éveillé à quatre heures par le bruit du vent, et levé à cinq heures, son moteur était réglé à la vitesse rapide et il n'y avait pas moyen de l'éteindre.

— Notre Père qui êtes aux cieux, déclama-t-il à haute voix en moulant le café.

Ces mots le calmaient toujours, même quand il n'arrivait pas à se concentrer ; ils l'aidaient à se recentrer sur lui-même. On ne pouvait réciter n'importe quelle prière dans le sanctuaire douillet d'une sainte quiétude ; un homme devait faire ce qu'il avait à faire.

– Que ton nom soit sanctifié...

Il devait se rendre en voiture à Lord's Chapel pour dix-sept heures afin de vérifier les décorations de l'église et régler quelques problèmes généraux, puis il ferait un saut à l'Oxford pour charger les pièces dans le coffre de sa voiture. Il les entrerait dans la maison au moment où Cynthia monterait se préparer pour la messe de minuit ; puis il les installerait sous l'arbre, et cette dernière pensée l'enthousiasmait au plus haut point. Il sortirait par la porte arrière avec Cynthia et l'escorterait jusqu'à la voiture. Ce ne serait qu'à leur retour de Lord's Chapel qu'ils entreraient dans la salle de séjour...

En plaçant le filtre dans la cafetière, il se rappela qu'il avait commencé une prière mais qu'elle lui était sortie de l'esprit sans qu'il ne s'en aperçoive.

– Notre Père qui êtes aux cieux...

Il mania les boutons de la cafetière jusqu'à ce que le voyant rouge s'allume et remarqua que la minuterie clignotait. Il tapota la poche de son vieux peignoir, à la recherche de ses lunettes, mais il ne trouva qu'un Kleenex en boule, un reliquat de sa dernière grippe.

Et l'arbre... Que le Ciel bénisse Harley Welch qui irait chercher un sapin Fraser dans Ashe County, l'apporterait et l'installerait après le lunch, remplirait le support d'eau et rapporterait les branches peu esthétiques qu'il aurait taillées.

— Que ton nom soit sanctifié...

Il enleva son peignoir dépenaillé et enfila un survêtement par-dessus le bas de son pyjama. Ce faisant, une de ses pantoufles alla se loger quelque part près de son genou ; il secoua la jambe, mais la pantoufle restait coincée dans le survêtement. Il alla donc la repêcher avec sa main droite et la jeta dans un coin de la pièce. Barnabas, sans bouger la tête, suivit des yeux le vol de l'objet.

En ce qui concernait le chameau, il se dit qu'il le placerait en arrière-plan, peut-être derrière une branche basse de l'arbre qu'ils décoreraient avant la messe.

Ah ah ! Voilà le chandail qu'il cherchait, dans le compartiment sous le portemanteau mural. Il le passa par-dessus son haut de pyjama, puis revêtit finalement un caban acheté au magasin de matériel militaire à Wesley.

— Que ton règne arrive...

Il espérait que Mule n'oublierait pas de prendre les gâteaux et qu'il ne les trimballerait pas dans le coffre de sa Bronco sans au préalable les avoir stabilisés d'une manière quelconque… Ah oui, il devait se souvenir d'apporter son chapeau noir afin de recueillir l'argent pour l'achat des billets à destination de Washington. Il prit le chapeau sur le support et le lança sur le plancher poli du corridor telle une boule vers des quilles. Le feutre atterrit au bas de l'escalier, là où il le verrait inévitablement avant de sortir par la porte principale pour se rendre au Grill à midi.

Il s'aperçut qu'il soufflait comme une locomotive au charbon.

Au retour du monument, il devait sans faute lire l'office du matin et prier. En fait, il lui fallait immédiatement concentrer son pauvre esprit sur la prière, sinon il ne survivrait pas à cette journée.

Il extirpa ses bas de laine du compartiment et, portant une seule pantoufle, il se hâta d'aller dans son bureau. Il se laissa choir dans son fauteuil, mit ses bas l'un après l'autre avant d'enfoncer ses pieds dans ses bottes à semelles épaisses et d'en nouer les lacets.

Vite à la porte de la cuisine, il saisit sa casquette et la laisse rouge sur le crochet, puis sortit à toute allure et referma la porte derrière lui.

— La première règle consiste à garder un esprit calme, s'exclama-t-il, son souffle créant une buée dans l'air froid. La seconde est de regarder les choses en face et de les prendre pour ce qu'elles sont !

Il regardait les choses en face et les prenait pour ce qu'elles étaient.

— Et elles étaient..., dit-il en cherchant un mot approprié, *complètement folles !*

Le vent s'en donnait à cœur joie et le thermomètre s'était carrément bloqué à vingt degrés. Il retira ses gants d'une poche et, de son autre main, il déroula un foulard de laine.

— Notre Père...

Il enroula le foulard autour de son cou et secoua la tête comme pour la dégager. Son cerveau était en bouillie.

— ... qui êtes aux cieux.

Il rabattit son chapeau sur ses oreilles pour éviter que ce dernier n'atterrisse sur un lampadaire à Johnson City.

Soupirant profondément, ce qui emplit ses poumons d'une bouffée d'air frais, il regarda la laisse rouge au bout de sa main gantée et entendit son chien japper dans la cuisine.

– *Sur-pri-se !*

– Prêts, pas prêts, nous voici !

Le gens de Mitford étaient toujours en avance et, aujourd'hui, ils ne faisaient pas exception.

– Joyeux Noël !

– Surprise ! Surprise !

– On a même pas fini d'laver la vaisselle, dit Percy en s'essuyant les mains sur son tablier.

– *Enlève* ce tablier, c'est la fête !

Lois Holshouser, un professeur de théâtre de Wesley High à la retraite qui voulait s'amuser davantage dans la vie, détacha le tablier de Percy et le lança de l'autre côté du comptoir où il atterrit sur une boîte de gâteau.

– Attention ! dit Mule, qui avait trimballé ces gâteaux toute la matinée, ralentissant à la moindre bosse sur la route.

– Nous devons sortir ces gâteaux de leur boîte ! dit le père Tim.

Mule croyait-il que les gâteaux allaient sortir de leur boîte et se servir tout seuls ?

– Voici, dit-il en plaçant une pile d'assiettes sur le comptoir.

– Que voulez-vous qu'j'fasse avec ça ?

– Commence par faire de minces tranches de gâteau ; nous devons nourrir les légions romaines.

– Avec quoi j'le coupe ?

– Un *couteau !* dit-il en lui en glissant un sur le comptoir.

– Monsieur ! Vous auriez dû ach'ter c'casse-croûte et prendre la relève.

– Des fourchettes en plastique, des fourchettes en plastique, dit le père Tim en fouillant sous le comptoir.

– Percy ! Où sont les fourchettes en plastique ?

– Sous la boîte à pain ! dit Percy.

La foule affluait dans son resto telles des mouches autour d'un pot de miel. Il devait crier à tue-tête. « *Calmez-vous,* pour l'amour du ciel ! » pensa-t-il.

– Eh, Mule, le café est-y prêt ? lança Coot Hendrick, qui apparemment avait profité d'une guérison miraculeuse.

– T'emballe pas ! dit Mule. Il vient jus' de commencer à couler.

– Tu peux m'donner du thé. Ça m'dérangerait pas d'avoir une tasse de thé.

– On a just' du café. C'est à prendre ou à laisser.

– Pas besoin d'me crier après, dit Coot.

Il toussa bruyamment afin de rappeler à tous qu'il avait été très malade et que la pneumonie était une affaire sérieuse, même celle qui ne nécessitait pas d'hospitalisation.

– Surprise ! cria un nouveau fêtard.

– C'est *pas* une *surprise*, dit Percy, qui en avait assez d'entendre que c'en était une.

– Comment ça ? demanda Mule. On a dit aux gens de ne pas en parler à âme qui vive.

Velma, qui avait de toute évidence passé la plus grande partie de l'avant-midi au salon de coiffure de Fancy Skinner, le regarda par-dessus ses lunettes.

– Cette grande pie de Jenkins a vendu la mèche.

– Pourquoi cette satanée cafetière répand-elle de l'eau partout sur la plaque chauffante ? demanda le père Tim. Mule ! Viens par ici y jeter un coup d'œil.

– J'coupe du gâteau, mon ami. Demandez à Percy.

– Percy a travaillé à ce comptoir pendant quarante ans. Je lui accorde une pause.

– Comme vous voudrez ! Ça coule à terre.

Misère ! Il appuya sur le bouton d'arrêt.

Ray Cunningham s'installa à un tabouret au comptoir.

— J'ai entendu dire qu'la maison offrait l'café ! J'en prendrais une p'tite rasade et une autre pour votre ancienne mairesse.

— Bonjour Ray, content de vous voir ! dit le père Tim. Esther, savez-vous comment fonctionne cette satanée cafetière ?

Leur ancienne mairesse était capable de réparer n'importe quoi, incluant la vie des gens.

— Laissez-moi voir, dit Esther. Je vais m'en occuper.

— Pasteur, comment allez-vous ? lui demanda Harley Welch avec un large sourire.

— Eh, mon ami ! Prenez un morceau de gâteau. Nous avons bien hâte de vous voir mettre les pieds sous notre table demain.

— J'ai fait mes carrés au chocolat fondant. J'pense qu'y sont meilleurs quand y r'posent toute la nuit.

— La nuit semble améliorer bien des choses dans la vie. Eh, regardez, voici Lew Boyd !

— Mon père, j'vous présente Ma'me Earlene Boyd.

— Earlene !

Toutes les têtes se tournèrent. Peut-être avait-il crié son nom.

— Heureuse de vous rencontrer, père Tim.

– Ma foi, Earlene, vous êtes jolie comme un cœur.

– Qui c'est ? dit Coot Hendrick.

– Mon épouse. Ma'me Earlene Boyd.

– B'jour, dit Earlene, en lui serrant la main.

– Sa quoi ? demanda un curieux. Qu'est-ce qu'il a dit ?

– Son *épouse*.

– Son *épouse* ? J'crois pas ça ! Elle est trop belle pour perd' son temps avec lui.

– Du Tennessee, dit Lew.

Il se balançait sur ses talons et la fermeture éclair de sa veste était sur le point d'éclater.

– Tennessee ! reprit Lois Holshouser. J'ai déjà sorti avec un garçon qui venait du Tennessee. Il s'appelait Junior machin-truc. Cheveux foncés, taille moyenne, le connaissez-vous ? J'aimerais bien le revoir.

Percy attrapa la main de Lew avec ardeur.

– Félicitations !

– J'suppose que c'est trop tard pour réclamer mon prix pour le concours de photos.

– On dirait qu't'as trouvé ton prix tout seul !

Earlene souriait au père Tim.

— Lew m'a dit que vous connaissiez notre situation. J'apprécie que vous l'ayez aidé.

— Je ne suis pas certain d'avoir fourni mon aide, Earlene, mais je dois dire que nous sommes heureux de vous voir. À quoi devons-nous cette belle surprise ?

— Il y a deux jours, maman s'est assise dans son lit et m'a regardée comme si elle était au courant de tout. Vous savez c'qu'elle m'a dit ?

— J'ai hâte de l'entendre.

— Elle a dit « Earlene, je veux que tu sois heureuse. »

— Ah !

— Je suis presque tombée de ma chaise. Jamais elle ne m'a parlé comme ça. J'ai répondu « Maman, je voudrais vous dire quelque chose. » Je ressentais une paix qui me disait que je devais le lui dire et je lui ai confié « Maman, je suis heureuse. Je suis mariée à un homme merveilleux. »

— Je pensais qu'elle allait mourir d'une crise cardiaque et que tout le monde me blâmerait, mais elle m'a simplement donné de petites tapes sur le bras.

Les yeux d'Earlene s'emplirent de larmes.

— J'ai dit « Maman, est-ce que cela vous ennuierait que j'aille passer quelque temps en Caroline du Nord ? » Et elle a répondu « Non, ma chérie. Vas-y, je veux que tu sois heureuse. » C'est exactement ce qu'elle a dit.

– J'ai donc demandé à ma voisine de venir s'occuper d'elle pendant cinq jours complets.

– Cinq jours complets ! s'exclama Lew.

– Dans neuf mois, je serai à la retraite et je déménagerai à Mitford. Je suis tellement emballée !

– Nous serons fiers de vous accueillir, dit le père Tim.

– Lew a dit que je pouvais venir avec maman.

La pomme d'Adam de Lew montait et descendait à toute allure.

– On a une chambre disponible.

– Je voulais que ma visite soit une surprise. Donc, quand je suis arrivée hier soir, je me suis garée derrière le troène pour attendre Lew. Quand il est entré dans la maison, j'ai passé la tête dans la porte et j'ai crié « Il y a quelqu'un ? » Tu t'es presque effondré, n'est-ce pas, chéri ? Mon père, aimez-vous les surprises ?

– Je dois vous avouer, Earlene, que je n'aime pas trop être pris par surprise, mais mon épouse, oui !

De nouveaux arrivants passaient la porte, refoulant les premiers vers le fond de la pièce.

– J'ai entendu qu'vous donniez un motoculteur à vot' garçon ? demanda Bob Hartley à son compagnon d'alcôve.

– Exact.

– Il a quarante-deux ans, pis un travail à temps plein. Y peut pas acheter son prop' motoculteur ?

– On aime faire plaisir à Harry ; c'est lui qui va choisir not' résidence pour retraités.

L'ancienne mairesse de Mitford avait réparé la cafetière et servait le café comme si elle était en campagne électorale.

– Percy, vieille canaille, où c'est que j'vais trouver un bol décent d'gruau d'maïs au p'tit-déjeuner ?

– J'sais pas, dit Percy. En tout cas, essayez pas d'en trouver à Wesley. Ils sont éduqués là-bas au collège, pis ils mangent pas d'gruau d'maïs.

Les gens étaient visiblement heureux de voir leur ancienne mairesse à nouveau au cœur de l'action, surtout que leur maire actuel était parti assister à un événement mondain à la résidence du gouverneur.

– Félicitations, mon vieux !

Omer Cunningham, aviateur, bon vivant et parent de l'ancienne mairesse Esther Cunningham, se frayait un chemin dans la foule, ses grosses dents étincelant tel un clavier de piano.

— Qu'allez-vous faire maintenant, toi et Velma ? demanda-t-il à Percy en lui donnant une petite tape dans le dos qui le projeta presque sur le plancher.

— Après m'être levé à quatre heures chaque matin pendant cent ans, j'ai l'intention de m'coucher pis d'dormir jusqu'au jour d'la marmotte. Velma, elle, va aller au refuge des animaux chercher un satané chat.

— Prenez pas un chat, prenez un chien, lança quelqu'un.

— Prenez pas un chien, prenez un singe !

— Prenez rien, conseilla le chef des pompiers. Les animaux nous rendent esclaves. Adoptez quelque chose à quatre pattes et vous verrez jamais les cerisiers en fleurs, croyez-moi.

Percy jeta un coup d'œil dans la salle ; les alcôves et les tabourets s'étaient remplis et il ne restait que des places debout. Où étaient donc ces andouilles quand les affaires allaient moins bien l'été dernier ?

— Un discours ! Un discours ! cria quelqu'un dans le fond de la pièce.

— Attendez !

J.C. Hogan passa la porte avant et l'assemblée fut balayée d'un coup de vent glacial lorsqu'il cria :

– Laissez passer la presse !

– Oh, mon Dieu ! murmura Minnie Lomax, qui avait fermé l'Irish Woolen Shop pour assister à cette fête. C'est J.C. Hogan. À tous les mariages, il veut être le marié et, à toutes les funérailles, il veut être le mort.

Il y eut un flash aveuglant, puis un autre et un autre.

– Place-toi là avec Velma, ordonna l'éditeur. Velma, regarde-moi et fais-moi un grand sourire ! Je sais que c'est difficile pour toi de me sourire, mais force-toi, voilà ! Une vraie Betty Grable. O.K., prenons une photo de Percy devant la rôtissoire. Eh, Mule, ôte ton gros derrière et laisse Percy aux commandes de la rôtissoire…

– Sa dernière commande ! dit Coot Hendrick.

Lois Holshouser plissa le nez.

– Qui a fait ce gâteau ? Esther Bolick n'a rien à voir avec ce gâteau, je peux vous le garantir.

– Acheté au magasin, dit Winnie Ivey Kendall, qui n'en mangeait pas.

– À qui est ce chapeau ? s'enquit Avis Packard. Quelqu'un m'a remis ce chapeau. Vous appartient-il ?

– Vous êtes supposé mettre quelque chose dedans.

– Comme quoi ?

– De l'argent… pour les cerisiers en fleurs.

– Quels cerisiers en fleurs ?

Faye Tuttle annonçait une mauvaise nouvelle à Esther Cunningham à propos d'une parente.

– Dystrophie multiple, disait-elle en secouant la tête.

J.C. s'essuya le front avec une serviette en papier et tendit son Nikon à Lew Boyd.

– Tenez, mon ami, puisque vous avez gagné le grand concours de photos, tirez le portrait du club du dindon avec Percy et Velma. Viens Mule, venez mon père, approchez-vous. C'est ça, regardez juste là et appuyez sur le bouton…

Flash. Flash.

– Un discours ! Un discours !

Ça battait des mains, ça tapait du pied. Une cuillère tintait contre une tasse de café.

– J'ai fait plein d'discours durant quarante-quatre ans, dit Percy, pis vous avez tout oublié c'que j'ai dit. Donc, j'ferai pas d'discours aujourd'hui, sauf pour dire…

Durant toutes ces années où il avait été client, le père Tim n'avait jamais vu Percy Mosely s'émouvoir. Au cas où ce serait contagieux, il saisit son mouchoir dans la poche de sa veste.

– ... sauf pour dire...

– Qu'est-ce qu'il a dit ? demanda quelqu'un à l'arrière.

– ... pour dire...

– On dirait qu'il n'arrive pas à le dire.

C'était contagieux. Le père Tim regarda autour de lui et vit quelques personnes qui s'essuyaient les yeux. Velma émergea de la foule.

– C'qu'il veut dire, c'est merci pour les beaux souv'nirs.

– Exact ! dit Percy, en se mouchant.

Applaudissements. Sifflets.

– Excellent discours ! dit Coot.

– Tu ne dois pas sauter ta sieste, lui rappela Cynthia.

Ils avalaient à grandes lampées sa soupe de tomates et de poivrons rouges rôtis. Il aurait pu en manger toute une chaudronnée à lui seul.

– Je vais m'étendre sur le canapé quand nous aurons terminé l'arbre et vérifié les lumières. Je suis sûr de faire un roupillon.

– Je pense que tu devrais dormir au moins une heure. Veux-tu vraiment t'étendre sur *ce* canapé ? Aïe ! Le style victorien n'est pas des plus confortables.

– Je vais prendre un oreiller dans notre lit.

– Je vais t'en apporter un, avec une couverture.

– Merci. Nous avons été terriblement occupés, tous les deux, mais il y a de la lumière au bout du tunnel, ma chérie !

Lapement.

– As-tu terminé ton tu-sais-quoi ?

– Oui, de justesse. Et qu'en est-il de *ton* tu-sais-quoi ? L'odeur qui se dégage de ta salle de travail pue terriblement. Qu'est-ce que tu mijotes ?

– Tu verras ! dit-elle en riant et, penchant la tête d'un côté, elle le fixa de ses yeux couleur bleuet.

– Tu sais à quoi je pense constamment ?

– Cela m'épate que tu réussisses même à penser, ces jours-ci.

– À notre voyage en Irlande.

– Ah.

– Nous y allons toujours ?

– Si Dieu le veut, bien sûr que nous y *allons !*

Elle rayonnait.

– Tout est prêt pour le service de ce soir ?

– Oui. Il ne me reste qu'à me rendre à l'église vers dix-sept heures pour voir comment se débrouille l'équipe de décoration.

Il repoussa sa chaise et se leva de table.

– Excellente soupe, ma chérie !

– Je peux faire quelque chose pour aider ?

– Absolument. À minuit, assure-toi d'être dans le premier banc quand je vais célébrer la messe.

– C'est tout ?

– C'est tout.

Il se pencha, prit son épouse par le menton et l'embrassa. Il s'attarda un moment avant d'ajouter :

– J'aime regarder tes cils battre et les petites étoiles qui sortent de toi.

C'était un arbre magnifique.

Au cours des années, il avait eu un pin blanc, un cèdre, une épinette bleue et un sapin Fraser. Ce dernier était de loin son favori, même s'il entretenait une affection profonde pour le cèdre.

Ni lui ni Cynthia ne possédait de collections spéciales d'ornements, seulement l'assortiment bigarré qu'ils avaient amassé au fil des ans et qui avait survécu à leurs déménagements. Mais quel spectacle ! C'était splendide, le plus beau sapin depuis des années et les lumières de toutes les couleurs étaient parfaites. Il les aimait tellement.

La journée avait commencé à l'envers. Dieu, dans sa miséricorde, avait remis les choses d'aplomb et il était maintenant un homme heureux. Il mit sa tête sur l'oreiller au léger parfum de glycine, tira la couverture vers lui et écouta le ronflement de son chien couché sous la bergère. L'odeur de la pièce ! Un parfum de verdure vif dont profitent seulement une fois par année les gens beaucoup trop civilisés...

Fermant les yeux, il respira cette fragrance comme s'il était en manque.

– Là-bas près du piquet d'clôture, que penses-tu d'c'lui-là ?

– Il est trop croche au sommet. L'étoile pourrait tomber.

– Et c'lui-là, juste ici ? On est tombés direct dessus.

La senteur du bois et des pâturages en hiver, le craquement du frimas sous ses pieds, le froid piquant leur visage, la sensation de la corde du traîneau dans sa main et Peggy la tête enveloppée dans un mouchoir rouge…

– J'aime celui-là, avait-il dit en le désignant du doigt.

– Ta maman dit d'pas montrer du doigt.

– Comment alors je dois t'indiquer où il est ?

– Il faut dire « dois-je ». Dis-moi comment j'peux l'reconnaître.

– Tu vois celui qui a de grosses branches dans le bas et de la sauge qui s'enroule autour ? Là-bas, près d'la vieille souche.

– Oh là là ! mon petit, y faudrait deux hommes forts pour couper ce cèdre. J'suis jus'une femme avec des gros os et, toi, t'es jus' un p'tit gars.

– Je ne suis pas *petit.*

Il tapait du pied pour que son message soit bien entendu. Arrêterait-elle un jour de l'appeler ainsi ?

– Oh, t'as raison. J'ai oublié qu't'étais pas p'tit et arrête de taper du pied, jeune homme. Tu m'entends ?

– Oui, M'dame.

– C'est mieux. Choisis un aut'arbre.

– Mais c'est le plus beau. En plus, maman aime les gros arbres.

– T'as raison.

– Cela la fera sourire.

Peggy désirait autant que lui la voir sourire.

Elle avait placé une main en visière afin de mieux examiner l'arbre.

Lui, il avait tiré sur la jupe de Peggy.

– Maman va-t-elle guérir ?

Il craignait de poser la question car il avait peur de la réponse.

– Elle va d'mieux en mieux ces temps-ci. Aussi sûr que t'es né, elle va guérir.

Peggy lui avait mis la main sur l'épaule ; par sa façon de le toucher, il avait su qu'elle disait la vérité.

– Eh ben, on va d'mander à Rufe de l'couper. J'vais voir si je peux l'trouver.

Il avait levé les yeux vers cette grande femme élancée qu'il savait capable de tout.

– On est peut-être capables tout seuls, Peggy... juste toi et moi.

– Tu sais c'que t'es ?

– Quoi ?

Elle n'avait pas l'air fâché contre lui et il en avait été soulagé.

– La p'tite belette la plus acharnée que j'connaisse.

Peggy avançait, tenant la hache. Sa robe et son tablier avaient la couleur dorée des brins de paille en hiver ; son mouchoir faisait une tache écarlate contrastant avec le gris des arbres dépouillés de leurs feuilles.

– Amène-toi. On va voir c'qu'on peut *faire !* Seigneur Jésus, aidez-nous. C'vieil arbre mesure au moins trente mètres.

– Haut comme une montagne ! avait-il crié dans le froid mordant.

– Haut comme le ciel ! avait claironné Peggy.

Ils avaient rapporté le gros arbre à la maison sur un traîneau, cet arbre qui déployait sa verdure sombre et intense sur son passage à travers les bois hivernaux. Après que Rufe eut fabriqué un support et qu'il l'eut installé dans le salon, lui et Peggy avaient été étonnés de constater que, une fois bien examiné, l'arbre n'était pas haut comme le ciel ; il n'arrivait qu'à mi-hauteur du mur du salon.

Des jours plus tard, il sentait encore l'odeur vive de la résine qui avait imprégné ses mains et ses vêtements ; le parfum avait persisté même après son bain dans la cuve le soir où ils avaient ébranché l'arbre.

– Regardez ce garçon manger son poulet frit ! avait dit le révérend Simon pendant leur léger repas de la veille de Noël. Madelaine, vous faites de lui un véritable baptiste !

Sa mère avait souri. Pas son père.

Lorsqu'il était descendu le matin de Noël, l'arbre était là, illuminé avec des lumières colorées, orné de décorations et de guirlandes. Son père avait revêtu une veste d'intérieur et il y avait les cadeaux à ouvrir, puis quelque chose de dissimulé derrière le canapé...

Lorsqu'il avait placé l'Enfant dans la crèche, il avait vu ce qu'il avait espéré de tout cœur ; les yeux de sa mère s'étaient illuminés telle l'étoile au sommet du grand cèdre bienveillant.

— Joyeux Noël, avaient clamé ses parents à l'unisson.

Il avait aussitôt couru vers le buffet et apporté les bergers à la crèche. Il avait déplacé une vache et un âne, afin que ces derniers regardent vers la mangeoire, pendant que son père était allé chercher dans la bibliothèque les hommes qui avaient fait un long voyage vers l'étoile.

Après un long mois d'attente, la scène était enfin complète.

Il n'en était certainement pas conscient à l'époque, mais la bicyclette bleue qu'il avait découverte derrière le canapé rappelait d'une certaine façon le miracle de l'Enfant. C'était un autre cadeau miraculeux, le symbole d'un Présent beaucoup plus grand. Il débordait de joie.

Évidemment, il ne pouvait en parler à Tommy, car ce dernier n'avait peut-être pas reçu de bicyclette. Peut-être aussi son ami n'avait-il eu aucun cadeau.

– Qu'y a-t-il, Timothy ? demanda sa mère, qui était assise dans la chaise de cuisine peinte en bleu, près de la fenêtre, en train d'écailler des huîtres avec Peggy.

– Peut-être que Tommy n'a rien eu, avait-il dit, triste malgré lui.

– N'a rien eu ?

La voix de sa mère était douce. Elle s'était approchée et l'avait enlacé.

– Voyez ! Voyez qui arrive ! avait lancé Peggy, qui s'était levée soudainement pour regarder par la fenêtre.

Dans la clarté de cet après-midi de Noël, Tommy Noles remontait leur allée en vacillant sur deux roues.

Son ami Tommy avait une bicyclette et les yeux de sa mère brillaient à nouveau.

Jusqu'à ce qu'il épouse Cynthia, ce Noël avait été le plus heureux de sa vie.

Pendant sa sieste, avant sa visite à l'église, il était tombé quelques centimètres de neige, ce qui ne manquerait certainement pas d'inspirer la joyeuse équipe de décoration.

Finalement, il ne trouva aucune équipe de décoration, ni joyeuse ni autre. À la place, il s'aperçut qu'il devait déverrouiller lui-même les doubles portes principales. Lorsqu'il tourna la clé, les cloches se mirent à sonner.

Dong…

Dès qu'il pénétra dans le vestibule de l'église, il respira le parfum du pin et du cèdre frais, ainsi que la cire d'abeille récemment appliquée sur les bancs en chêne séculaire.

Dong…

Et la nef si belle dans le crépuscule hivernal, chaque nuance si familière, une sorte de chez-soi ; il s'inclina devant la croix au-dessus de l'autel, le cœur comblé…

Dong…

La décoration de l'église avec de la verdure faisait partie de ses traditions chrétiennes préférées ; quelqu'un avait définitivement beaucoup travaillé aujourd'hui !

Dong…

De la verdure fraîche ainsi qu'un cierge devant être allumé avant le service ornaient chaque appui de fenêtre... Les membres de la congrégation, souhaitant entendre une fois de plus l'ancienne histoire d'amour, empliraient la nef...

Dong...

Des familles entières viendraient, de près et de loin, savourer cette heure sacrée. Par la suite, on proclamerait le souhait joyeux qui, dans des temps plus anciens, n'était jamais prononcé avant la fin de l'avent et le matin de Noël.

On pouvait le traiter de conservateur, de dinosaure, de vieux jeu, mais vraiment, sauter dans l'arène le lendemain de l'Halloween, c'était pour lui comme atteindre et maintenir le do aigu pendant quelques mois, tandis qu'un peu de patience réservait Noël pour le matin de Noël, conservant ainsi toute sa fraîcheur et sa nouveauté.

Il s'agenouilla, ferma les yeux et remercia le ciel pour cette quiétude. Son cœur l'amena vers Dooley et Poo, Jessie et Sammy... en fait, vers toutes les familles qui seraient rassemblées à cette époque de l'année.

— Ô Dieu, origine et fondement de la communauté domestique...

Il prononça à voix haute les mots qu'il avait appris quand il était un jeune vicaire et qu'il n'avait jamais oubliés.

— ... fais que dans nos familles, nous imitions les vertus et l'amour mêmes de la Sainte Famille de Nazareth, afin que réunis ensemble dans Ta demeure, nous puissions un jour posséder le bonheur éternel.

Dans le profond silence rempli d'espoir, il n'entendait que sa propre respiration.

— Amen, murmura-t-il.

La neige avait cessé ; ce soir, les conducteurs de chasse-neige pourraient rester confortablement couchés dans leur lit.

Il déverrouilla la porte de l'Oxford et tâta la plaque pour trouver le quatrième interrupteur. Au plus profond de ce vaste édifice ayant servi autrefois d'étable pour les chevaux, la lumière éclaira l'arrière-boutique et se répandit par la porte ouverte.

Son cœur se mit à battre plus vite ; il avait travaillé et attendu ce jour, ce moment précis. Il se déplaça rapidement dans l'allée obscure, entre les tables et les chaises, les coffres et les buffets.

Fred, que Dieu le bénisse, avait offert de mettre les pièces dans des boîtes, ce qui lui permettrait d'en transporter plusieurs à la fois. Ce bon compagnon était son ange de Noël, si jamais il en existait un.

Sa respiration se calma, tandis qu'il se tenait immobile sur le seuil.

Les boîtes étaient là.

Et là, sur la table au centre de la pièce, il y avait une étable abritant la Sainte Famille.

Il est né le divin Enfant
Jouez hautbois, résonnez musettes,
Il est né le divin Enfant
Chantons tous son avènement.

— La foule se multiplie ! dit Mamy Phillips à son chat, Popeye.

Mamy, qui habitait une petite maison près de Lord's Chapel, ne comprenait pas pourquoi certaines personnes voulaient aller à l'église au milieu de la nuit. Elle avouait toutefois qu'à mesure qu'elle vieillissait et qu'elle dormait moins, la messe de minuit était un événement qu'elle attendait avec impatience car, même faiblement, elle entendait les cantiques.

Dans cette étable, que Jésus est charmant !
Qu'il est aimable dans son abaissement !
Que d'attraits à la fois ! Tous les palais des rois
N'ont rien de comparable aux beautés que je vois
Dans cette étable.

Mamy baissa de quelques centimètres la partie supérieure de sa fenêtre. Plaçant une main à son oreille droite et retenant son souffle un bon bout de temps, elle réussissait à entendre chaque mot flottant dans l'air glacial.

Les anges dans nos campagnes
Ont entonné l'hymne des cieux,
Et l'écho de nos montagnes
Redit ce chant mélodieux :
Gloria in excelsis Deo.

Lorsque les membres de la congrégation émergèrent dans la nuit par les portes rouges, une neige fraîche tourbillonnait en gros flocons duveteux pour venir orner cols, chapeaux, foulards et mitaines. Deux personnes renversèrent la tête en arrière et sortirent la langue pour attraper quelques flocons et en sentir la douceur lorsqu'ils fondaient rapidement dans leur bouche.

— Joyeux Noël, mon père !

— Joyeux Noël, Esther, Gene ! Que Dieu vous bénisse ! Et voilà Hessie, Joyeux Noël à toi, Hessie !

— Dis donc, Tom Bradshaw ! Joyeux Noël ! Quel bon vent t'amène ?

Rires. Buées. L'encens des cierges éteints flottant dans les airs…

— Joyeux Noël, Cynthia !

— Joyeux Noël, Hope. Vous êtes resplendissante ! Et Scott, mon cher, Joyeux Noël !

— Ils rentrent à la maison, maintenant, dit Mamy Phillips à Popeye. J'suppose qu'ils sont épuisés à force de chanter.

En fait, elle était soulagée car, même avec la fenêtre baissée, entendre chaque mot à travers un mur de pierre et une haie lui demandait un grand effort. Plusieurs fois, ils l'avaient invitée à assister aux services, mais elle ne s'était jamais décidée.

Elle verrouilla le châssis et alla dans la cuisine, où elle égrena des biscuits dans un verre de lait. Puis, elle posa une soucoupe de lait par terre pour Popeye en se demandant si un jour elle finirait par comprendre quelque chose à toutes ces histoires d'église.

Ils étaient assis sur le canapé du cabinet de travail, cherchant à reprendre leur souffle.

– Je suis épuisée ! dit-elle en lui prenant la main.

– Moi aussi. Complètement.

– Le bonheur est très exigeant.

– Vrai !

Dieu merci pour son peignoir et ses pantoufles. La folie était terminée. Noël était arrivé !

Elle s'appuya la tête sur l'épaule de son mari.

– L'arbre des anges a été l'un de mes plus merveilleux accomplissements. Tellement de familles sont venues chercher leur sac de nourriture… On dit que jamais il n'y aura eu autant de gens à Mitford et à Wesley qui pourront célébrer Noël avec un bon repas.

— Bravo, dit-il en lui serrant la main. Je suis fier de toi.

— Merci. Tout le monde a travaillé très fort. J'aimerais recommencer l'an prochain, et l'année suivante.

Il lui posa un baiser sur la tête.

— Est-ce que je t'ai parlé de la petite fille qui a marché huit kilomètres pour aller chercher deux sacs de provisions pour sa famille ?

— Raconte-moi.

Il se renversa la tête et ferma les yeux pour savourer la paix et le plaisir de ne plus avoir à faire quoi que ce soit.

— Jamais elle n'aurait pu les transporter jusque chez elle ; je l'ai donc ramenée en voiture. Je ne pourrais te décrire les conditions de vie terribles que j'ai vues. Timothy, si nous étions plus jeunes, j'aimerais que nous adoptions des enfants.

— Ton souhait se réalisera peut-être. Dooley pense changer son nom pour Kavanagh.

— Ahhh.

— Je lui ai suggéré d'y réfléchir plus longuement. C'est une décision sérieuse.

— Tu es toujours sage, Timothy.

— Pas toujours.

— Quand vas-tu lui parler à propos de l'argent de Mlle Sadie ?

— Je ne sais pas. Il aura vingt et un ans en février ; c'est peut-être le moment approprié. Dans sa lettre, elle demande de ne rien lui dire tant qu'il ne peut supporter cette responsabilité.

— Tu sauras reconnaître le bon moment. Dieu te le dira.

Il jeta un coup d'œil à l'horloge au-dessus du manteau de cheminée.

— Mon Dieu ! C'est le moment !

— Allons-y !

Ils bondirent du canapé et filèrent dans le corridor.

— O.K., dit-il quand ils atteignirent la table du salon. Ferme les yeux. Promets-moi de ne pas regarder.

— Promis !

Lui prenant la main, il la guida à la porte de la salle de séjour. Même s'il avait lui-même disposé chacun des personnages près de la crèche au pied de l'arbre, il contempla la scène d'un regard neuf, émerveillé. Peut-être à cause de la lumière, plus riche et plus vive au cœur de la nuit.

— Maintenant, dit-il.

Il s'était placé de manière à lui voir le visage, et sa réaction immédiate ne l'avait pas déçu.

— Timothy, murmura-t-elle. Oh !

Il mit son bras autour de la taille de son épouse et l'attira vers lui.

— Joyeux Noël, dit-il d'un air timide et solennel.

— Oh, répéta-t-elle. Je n'arrive pas à trouver les mots…

Barnabas déboucha du corridor au trot et vint s'installer près d'eux en secouant la queue.

— Cette jolie crèche a-t-elle un lien avec toutes les semaines que tu as passées à l'Oxford ?

— Oui.

Des larmes coulaient le long de ses joues.

— As-tu en quelque sorte… je veux dire qu'as-tu fait exactement ?

— Je l'ai peinte.

— Tu l'as *peinte ?*

— Fred m'a aidé. Il a fait les moutons au pochoir. Nous avons réparé une oreille ici et là. Puis une main. Il m'a aussi aidé pour le chameau.

— Le chameau !

— Au fond. Dans les buissons en quelque sorte.

Elle s'accroupit afin d'examiner la petite colonie de bergers, de rois mages, d'animaux, et les parents ébahis respectueusement agenouillés près de l'Enfant. Elle lui tendit la main, il la prit et s'agenouilla à ses côtés.

– Je n'en crois pas mes yeux, Timothy. Tout, chaque personnage, est tellement charmant, tellement... réel, d'une certaine manière.

– Ce projet me rendait très nerveux. Je voulais que ce soit beau. Après tout, c'est toi l'artiste de la famille.

Elle contempla chaque visage.

– J'aime beaucoup cet ange ! Comment as-tu choisi les magnifiques couleurs de sa tunique et de sa robe ?

– Nous avons consulté un livre, dit-il, se sentant comme un écolier.

– Et ce bon vieux berger, avec son joli crâne chauve...

– C'est autobiographique.

– Les yeux de ce chameau ! ajouta-t-elle en riant aux éclats. Il semble mijoter quelque chose, ne trouves-tu pas ?

– Ce chameau m'a donné de la misère. Il aurait été plus aisé de le faire passer par le trou d'une aiguille ! Mais enfin, Fred et moi, nous ne sommes pas Léonard.

– C'est vraiment excitant ! Je découvre un nouveau côté de mon mari.

Il haussa les épaules, muet, profondément ému par les éloges qu'il venait de recevoir.

Elle se souleva pour lui placer le bras autour du cou. Elle le regardait, rayonnante.

– Tu as découvert quelque chose de nouveau et de merveilleux en toi ; Dieu t'a offert un autre talent.

– Non, pas un talent, dit-il en rougissait. Mais Il m'a aidé à réaliser ce projet. Ce n'était pas facile.

– Je ne peux pas tout absorber d'un seul coup. Je vais passer quelques jours à ramper sous cet arbre.

Elle s'accroupit à nouveau ; Barnabas s'amena en trottinant et s'étendit derrière l'ange.

– Un visiteur de plus à l'étable ! annonça-t-il. Où diable est passée Violet ?

– Sur le dessus du réfrigérateur. Elle est bien toute seule.

Le réfrigérateur !

– J'ai une faim de loup, dit-il. Je vais nous préparer une collation ; que dirais-tu d'un bol de céréales ?

– Je ne peux attendre une minute de plus pour te donner le tien, Timothy. Ensuite, je vais nous servir deux bols de céréales. Aide-moi à me relever.

– Ah, mais qui va m'aider, moi ?

Ses genoux craquèrent tels les gonds d'un mécanisme désajusté.

– Tu ne peux pas regarder, dit-elle, tandis qu'il l'aidait à se remettre debout.

– Promis.

Il aimait quand une personne voulait lui présenter un cadeau, qu'elle lui demandait de ne pas regarder et qu'il devait promettre de ne pas le faire.

– Au fait, l'ange est ravissant. N'y en avait-il qu'un seul pour veiller sur cette merveilleuse assemblée ?

Il se plaça devant l'arbre et, pour plus de précaution, il ferma les yeux.

– Il y en avait deux, mais… j'ai échappé l'autre et je l'ai cassé.

Cette pensée lui était toujours désagréable.

Il entendit un bruit de pantoufles se dirigeant vers le corridor, puis revenant vers lui.

– Timothy…

– Oui ?

– Tu as dit que tu avais cassé l'autre ange ?

— Oui , dit-il, attristé et contrit.

— Était-ce celui-ci ? demanda-t-elle.

Il se retourna et aperçut l'ange au visage serein et aux sveltes pieds joints, en un seul morceau, dans les bras de Cynthia.

Il fut estomaqué.

— Ton ange cassé est redevenu entier, dit-elle.

Dix

C'était ce moment avant le lever du soleil que les personnes plus âgées des villages environnant Mitford appelaient encore « premières lueurs ». Le soleil n'était pas du tout visible ; le ciel d'hiver et les montagnes enneigées étaient d'un gris de pierre.

Au musée du village, oncle Billy Watson, vêtu de son peignoir, avançait péniblement dans le couloir sombre en transportant un plateau sous son bras et en remerciant le bon Dieu que la peinture ait séché durant la nuit. Il installerait son cadeau, mélangerait la pâte à crêpes, puis il irait la réveiller.

L'excitation faisait battre son cœur plus fort.

– À c'rythme-là, marmonna-t-il, on peut dire qu'le gouvernement en a pour son argent avec ces pilules.

Il chercha l'interrupteur de la cuisine à tâtons. Trois cents watts éclairèrent la pièce et il faillit tomber à la renverse.

– *Sacrebleu !* cria-t-il, surpris par son épouse qu'il croyait encore endormie. Elle était assise dans sa chaise avec l'air mauvais d'une poule qui vient de se faire arroser, ses cheveux blancs partant dans tous les sens.

– Rose ! dit-il en dissimulant le plateau derrière son dos.

– Quoi ?

– *J'savais pas qu't'étais d'bout !*

Il décida de parler très fort pour qu'elle puisse entendre tout ce qu'il disait. Après tout, c'était Noël.

Elle avait l'air menaçante, ses sourcils touffus froncés, semblables à deux vers en peluche.

– Il fait jour, râla-t-elle, et j'ai pas vu l'ombre du moindre père Noël !

Il l'avait vue maussade bien des fois, mais c'en était une qui allait certainement défrayer la chronique. Il aurait voulu se sauver par le corridor et sauter par la fenêtre en chaussettes.

– Il neige dehors !

Aujourd'hui, il allait maintenir la paix, devait-il en crever.

– Ça lui prendra pas trop d'temps !

– Tout le monde sait que le père Noël ne vient jamais quand il fait jour !

– Tout l'monde sait qu'il vient pas quand on est là à attendre qu'il débarque !

– Je viens juste de m'asseoir ici, Bill Watson. Il y a une minute, j'étais cachée derrière le Kelvinator.

– J'imagine qu'il a dû t'voir.

Ma foi d'honneur, à l'heure qu'il était, l'bon vieux père Noël devait être parti à toute vitesse et arrivé de l'aut' côté d'la montagne. Bill tenait toujours le plateau derrière son dos et son bras commençait à trembler.

– Il ne s'est pas montré, comme les gens l'avaient prévu. Et puis après, tu as passé un bâton dans la cheminée et fait tout ce dégât !

Toujours face à son épouse, il réussit à se rendre à la table, leur toute première table, celle en bois de cerisier qu'il avait fabriquée de ses propres mains de nombreuses années auparavant. Il y glissa le plateau sans faire de bruit, puis se retourna pour le regarder, reposant sur la nappe cirée à carreaux, une boucle rouge fixée à une poignée. Dos à son épouse, il retira l'enveloppe de sa poche et la plaça sur le plateau.

– Sacrebleu, Rose, *regarde par ici !*

– Quoi ?

– Ici, sur la tab' ! dit-il en criant d'une voix enrouée au-dessus de son épaule. *C'est ton cadeau !*

Le plateau était exquis, vraiment. Il était pourvu de poignées de chaque côté, servant à le transporter. Bill espérait qu'elle ne les reconnaîtrait pas sous une couche de peinture verte.

– Qu'est-ce que c'est ?

– Eh ben, Mam'zelle, j'imagine que c'est un plateau pour met' des bouc' d'oreilles, pis des broches, pis toutes sortes de babioles, comme t'en as b'soin d'un.

Il s'approcha d'elle. S'appuyant sur sa canne, il transporta le plateau.

Le visage de son épouse s'illumina.

– Un plateau à bijoux ! J'ai toujours souhaité avoir un plateau à bijoux !

– L'père Noël a dû passer pendant qu'on dormait.

Se tenant près de la chaise où elle était assise, il lui présenta le plateau ; sa main droite tremblait, faisant frémir la boucle.

– Oh là là, Bill Watson ! Il est vraiment beau ; je le *déclare !*

– L'bon vieux père Noël s'est ben débrouillé.

Son cœur était sur le point d'éclater.

– Qu'est-ce qu'il y a dessus ?

– On dirait qu'y a une lettre.

Il s'inclina et plaça délicatement le plateau sur les genoux de son épouse. En ce moment, son arthrite ne le dérangeait plus du tout.

Rose avait une aussi bonne vue qu'il avait une bonne ouïe. Elle ramassa l'enveloppe et, plissant les yeux à travers ses lunettes usagées provenant du Lion's Club, elle examina l'inscription.

Elle reprit son souffle.

– J'vais nous faire une crêpe, dit-il, avalant sa salive.

Mais ses pieds ne voulaient plus bouger. Il contemplait celle qui était sa compagne depuis plus de cinquante ans, elle la rose, lui l'épine, tandis que des larmes de bonheur coulaient le long de ses joues ridées.

Elle prit la lettre dans l'enveloppe, la déplia et la lut à voix haute, accentuant chaque mot comme si chacun était un cadeau en soi.

– « Ma… chère… petite… sœur… »

Tandis que sa femme prononçait ces paroles, il découvrit une chose merveilleuse – il n'était plus jaloux, pas même pour deux sous.

– « Tes... gentilles lettres... me font... beaucoup... plaisir... »

Il s'essuya les yeux sur sa manche, honteux d'avoir entretenu des pensées amères envers Willard Porter et, en cet instant même, sans prononcer un seul mot, il demanda à Dieu de lui pardonner.

Dans la petite maison entourée de pins au bout du chemin, la cafetière se mit en marche et filtra quatre tasses du mélange matinal de Wal-Mart, tandis que Lew Boyd dormait confortablement auprès de son épouse. De l'autre côté de la fenêtre, la neige tourbillonnait comme dans une sphère miniature.

Il ronfla bruyamment, ce qui le fit s'éveiller en sursaut. Il inspecta la pièce comme s'il ne la reconnaissait pas. Puis, il aperçut Earlene nichée dans le creux de son bras droit.

Son cœur s'emplit d'une joie qu'il n'avait jamais éprouvée auparavant, pas même lors de leur courte lune de miel à Dollywood. Il contempla les mèches de gris dans la chevelure châtaine et les petites rides aux coins des yeux et de la bouche, et sentit l'amour vibrer en lui, de même que la reconnaissance, et il lui était égal que son bras soit engourdi – non, m'sieur, il n'interromprait pas cet instant pour rien au monde.

Il se remémora la veille. Ils étaient allés à l'église First Baptist où il avait eu peine à croire qu'il se tenait à ses côtés. Elle chantait de bon cœur et il captait cette voix qui atteignait les notes aiguës. Ce son lui avait presque fait monter les larmes aux yeux.

Il s'était senti tellement fier de présenter Earlene à tout le monde, et jamais il n'avait vu une telle horde de gens éberlués. Certains l'avaient embrassée sur-le-champ et tous avaient dit qu'ils étaient énormément heureux pour lui. Quelques-uns avaient affirmé s'être doutés de quelque chose à cause des visites fréquentes qu'il faisait à sa vieille tante au Tennessee.

Par après, ils avaient fait un saut à Wesley pour aller chercher des mets chinois et ils étaient revenus à la maison manger à la table de cuisine comme des gens normaux. Depuis la mort de Juanita, il se rappelait avoir pratiquement toujours avalé ses repas devant l'évier.

Puis, ils avaient transporté l'arbre artificiel, complètement écrasé d'un côté d'être resté appuyé contre le mur d'un coin de la salle à dîner depuis sept ans.

Ils l'avaient installé dans un support près de la fenêtre en facade et s'étaient affairés autour comme s'il avait été en feu. Ils y avaient accroché six jeux de lumières de couleur dans les branches et l'avaient décoré avec tout ce qu'ils avaient pu trouver dans les boîtes restées fermées depuis si longtemps. Peu à peu, le côté aplati s'était déployé – les branches en plastique prenant leur place, une à une, jusqu'à ce que l'arbre ait l'air tout à fait neuf. Lui et Earlene étaient restés devant à l'admirer en tapant des mains comme des gamins.

Cette simple pensée le faisait sourire tel un singe. Il tourna la tête, fourra son nez dans les cheveux de son épouse et offrit une prière silencieuse.

Merci...

Il ne savait pas s'il devait dire « Merci, mon Dieu » ou « Merci, Seigneur » ou encore « Merci, Père ». À l'église, le pasteur Sprouse avait prononcé les trois phrases à un moment ou à un autre et même « Yahvé ». Harley Welch l'appelait « Seigneur et Maître » et en parlait parfois comme s'Il avait été juste là ; le père Tim priait comme si lui et Dieu étaient de vieux copains : « Eh, mon ami, comment ça va ? »

C'était difficile d'imaginer un nom nouveau pour le Tout-Puissant. À l'église, il n'avait pas fermé complètement son esprit, mais n'avait pas non plus prêté tout à fait attention ; il se reprochait d'avoir pensé à ses affaires dans le banc d'église. Le prix de l'essence allait-il monter ou baisser ? Pourquoi ne pouvions-nous pas trouver notre propre pétrole dans ce pays au lieu de compter sur le Moyen-Orient ? Et pourquoi donc les clients étaient-ils si bougrement difficiles à satisfaire ?

Et puis, il y avait le ministère de l'Environnement, le pire cauchemar dans la vie d'un homme. L'enfer, les fonctionnaires le lui faisaient vivre ici-bas ! Tous les dix ans, réglés comme une horloge, ils venaient faire leur inspection ; dix ans plus tôt, ils avaient disloqué ses réservoirs, démoli ses socles de béton au marteau-perforateur et creusé jusqu'à Beijing, et le bourbier qu'ils avaient découvert lui avait coûté trente mille beaux billets.

Il s'était dit qu'il ne s'en ferait pas avec cette maudite histoire. Il s'était serré la ceinture et avait tenu bon et, tant bien que mal, était passé à travers. D'autres n'avaient pas eu autant de chance. Il avait vu l'organisme forcer des concurrents à fermer leurs portes et il s'était retrouvé seul propriétaire d'un poste d'essence à dix kilomètres à la ronde. Le problème, c'était que, dans seulement trois mois, les dix ans seraient écoulés et que les fonctionnaires reviendraient cogner à sa porte.

Juste à *penser* au gouvernement, il sentit battre ses tempes… Non m'sieur, il n'allait pas se laisser envahir par de telles pensées. Sa tension artérielle ferait exploser le plafond, réveillerait Earlene, et les chiens des voisins se mettraient à japper.

Il supposa qu'il n'avait été attentif qu'au moment du chant. Il avait déjà entendu assez de sermons pour savoir que l'orgueil attirait l'échec, et il se disait qu'il était bien fier de sa voix. Puisqu'il possédait la seule voix grave de First Baptist, son chant se remarquait ; les gens se retournaient pour le regarder ; parfois même, ils lui souriaient ou lui faisaient un signe d'encouragement.

Mais, au bout du compte, il n'avait pas suivi la loi de Dieu. Ou du Seigneur. Ou du Père. Il n'avait tué personne ni convoité la femme d'autrui, ni rien de tout ça, mais toute sa vie, il avait fait son petit bonhomme de ch'min et n'en avait fait qu'à sa tête. À vrai dire, il aurait voulu s'en remettre à quelqu'un de plus puissant et de plus intelligent que lui.

Un de ces jours, après tout, peut-être prononcerait-il cette autre prière. Quelque chose au plus profond de lui avait changé d'une manière qu'il ne pouvait expliquer. Il n'arrivait pas à se souvenir de tous les mots qu'avait dits le père Kavanagh, sauf quand ce dernier avait parlé de s'en remettre à Dieu. Cette pensée ne lui paraissait pas si menaçante à présent ; il avait Earlene près de lui et la neige heurtait la fenêtre et s'accumulait sur la rampe à l'extérieur.

C'était simplement qu'il n'arrivait pas à imaginer quel intérêt le Dieu Tout-Puissant aurait pu avoir dans sa vie… mais…

Il resta immobile un long moment, respirant à peine, avant de poursuivre sa réflexion.

… mais s'Il la voulait, il la Lui offrait.

Hope se tenait à la fenêtre et regardait en bas, vers Main Street. En fait, il était plutôt difficile d'y voir une rue. Les traces du chasse-neige, laissées moins d'une heure auparavant, disparaissaient sous la neige fraîche.

– Merci, Seigneur ! murmura-t-elle, reconnaissante pour cette superbe matinée paisible.

Depuis qu'elle avait récité cette prière en septembre dernier, beaucoup de choses avaient changé. Il lui devenait de plus en plus facile de se confier à Dieu, de Lui demander conseil ou de Le remercier spontanément pour les moindres choses.

La messe de minuit à Lord's Chapel avait été transcendante ; jamais elle n'avait assisté à un service aussi inspirant. L'odeur du cèdre et du pin... les belles voix émouvantes de la chorale chantant souvent a cappella dans l'église éclairée par des cierges... et sa main au chaud dans celle de Scott...

Elle savait qu'elle n'avait jamais rien fait pour mériter tout cela, ce qui pour elle rendait l'amour de Dieu encore plus étonnant et inexplicable.

Avançant vers la plaque chauffante où elle préparerait bientôt son premier petit-déjeuner de Noël pour un invité, elle prit conscience de la grande fatigue provoquée par les longues semaines d'incertitude, le peu d'aide dans l'entreprise de livres rares et la perte... Mais c'était Noël et elle ne devait pas penser à la perte.

Elle se sentit contrainte de se retourner pour contempler la lumière qui se répandait à travers la dentelle.

— Maman !

Elle éprouva une douleur vive et soudaine, et se mit à pleurer, les mains sur le visage, sentant malgré la tristesse une assurance qu'elle ne pouvait définir.

– Nous avons besoin d'une carotte.

– On a pas d'carottes, j'ai vérifié.

– Dooley a dit de pas dire « on » !

– Nous pouvons utiliser un bâtonnet pour faire son nez. J'suppose qu'il y en a plein alentour.

– Ouais, mais comment les voir sous ce tas d'neige ?

Dans la cour de la petite maison sous les lauriers, Poo et Jessie Barlowe avaient construit un bonhomme de neige qu'ils prévoyaient finaliser en l'affublant du casque jaune de leur beau-père. Dooley allait venir aujourd'hui et ils iraient chez le pasteur avec lui pour le repas de Noël, où ils verraient leur autre frère, Sammy, et recevraient des présents. Ensuite, peut-être que tout le monde viendrait chez eux et verrait leur bonhomme de neige. Cette éventualité les excitait tellement qu'ils n'avaient pu avaler leur petit-déjeuner ; toutefois, tous les deux s'étaient aventurés dans ce matin froid et enneigé, les poches remplies de M&M.

– Comment l'faire sourire ?

– Avec des cailloux, ceux que l'on trouve dans les allées de stationnement. On va les poser en courbe sur son visage.

— Il n'y a pas d'allées chez nous.

Jessie réfléchit un bon moment, son souffle créant de petits nuages dans l'air.

— On peut utiliser des M&M !

— Pas les miens !

— C'est pas croyable comme t'es égoïste ! Tu ne sais pas que c'est Noël ? En plus, peut-être que tout le monde viendra l'admirer.

— O.K., dit Poo en vidant sa poche.

Elle n'avait jamais fait d'omelettes sur une plaque chauffante à deux brûleurs, mais Scott l'encourageait et, avec la salsa, les rôties, la confiture de prunes et le thé, tout paraissait magique. Assise dans sa nouvelle maison avec Scott, les chiens de son amoureux dormant sur le vieux tapis qu'elle aimait, elle se sentit soudain comme une adulte invincible.

— Joyeux Noël ! dit-elle, émue par sa présence de l'autre côté de sa petite table.

— Joyeux Noël ! dit-il en lui prenant la main.

Elle avait certainement déjà imaginé des histoires sentimentales, fait des rêves fous à propos d'hommes dans une bruyère, généralement à cheval, un grand vent des montagnes faisant voler leur cape. Mais jamais elle n'avait pensé qu'elle connaîtrait quelqu'un d'aussi paisible et doux, d'aussi authentique et vrai. Elle lui serra la main, incapable de parler, et sentit à nouveau les larmes lui perler dans les yeux.

Il se cala dans sa chaise, l'air détendu.

— Dis-moi, quel est ton plus grand souhait pour Happy Endings ?

Elle réfléchit un instant.

— J'aimerais que les gens se sentent vraiment chez eux dans ma librairie.

Il sourit.

— Ta librairie.

— Oui ! dit-elle, émerveillée. Ma librairie.

— Tu sais quoi ?

— Quoi ?

— Ta librairie fait honneur à son nom.

C'était merveilleux de rire ; ce son semblait provenir d'une nouvelle personne, quelqu'un dont elle avait hâte de faire la connaissance. Les chiens sautèrent sur leurs pattes et coururent vers elle, comme si son rire les avait attirés.

Elle fixa leurs yeux bruns et avides.

— Je peux leur donner un morceau de rôtie avec de la confiture ?

— Ils apprécieraient.

Elle goûta la douce sensation de leur museau attrapant la rôtie dans sa main.

— Magnifique ! dit Scott avec tendresse. Éblouissante !

Elle toucha les petits diamants à ses oreilles.

— Ces boucles sont superbes, je les adore !

Il sourit.

— Je ne parlais pas des boucles d'oreilles.

Sur la terrasse de la maison verte d'Esther et de Gene Bolick à l'est de Main Street, quatorze pots de fleurs en terre cuite remplis de neige avaient l'air de cornets de crème glacée.

De l'autre côté des portes coulissantes, Esther et Gene étaient assis près du foyer dans leurs fauteuils à bascule identiques, buvant du café et ouvrant leurs présents. Le faux foyer, que lui avait offert Gene dix Noël plus tôt, comportait une ampoule de quarante watts qui diffusait une lueur à travers une pellicule de cellophane pivotante rouge. Esther avait souvent qualifié ce décor de « douillet ».

— Je n'arrive pas à y *croire !* dit Esther.

— Quoi ?

Gene venait d'ouvrir une boîte de noix qui lui avait été offerte par un copain de la Légion et il cherchait un cajou.

— Ce sac à lessive orné de la lettre B ! De la part d'Hessie Mayhew !

— Qu'est-ce qu'il a ?

Esther soulevait le cadeau d'un air incrédule.

— Y a cent ans que j'ai donné cette vieillerie à une vente de charité !

— Eh ben, nom d'un chien, dit Gene, tentant de se montrer intéressé.

Esther laissa tomber le sac à lessive sur ses genoux, interloquée par le doute.

— Et moi qui lui ai offert un *gâteau à la marmelade à deux étages.*

— La pauv'femme boite, Esther, c'est pas facile pour elle de faire des courses. Et pourquoi l'as-tu donné à une vente de charité ? À mes yeux, il est parfait.

— C'est vrai, dit Esther, en l'examinant plus attentivement. Par après, je l'avais regretté.

— Tu vois ? dit son mari en croquant quelques cajous. Rien ne se perd.

À Hope House, Louella Baxter Marshall se retourna sur le côté droit, se souleva et s'assit sur le bord de son lit.

— Joyeux Noël, Mlle Sadie ! Joyeux Noël, Moses, mon chéri ! Joyeux Noël, mon petit garçon au ciel ! Joyeux Noël, maman !

Une guirlande de lumières scintillait dans un poinsettia rouge sur l'appui de sa fenêtre ; trente-deux cartes de Noël étaient fixées au cadre de sa porte avec du ruban adhésif. Oui, c'était un beau Noël et, vers quinze heures, elle appliquerait son nouveau rouge à lèvres cerise et un peu d'ombre à paupières d'une teinte appropriée à celle de sa peau, puis l'infirmière l'aiderait à remonter la fermeture éclair de sa robe bleue à manches longues. Ensuite, elle emballerait la petite surprise qu'elle avait achetée pour le père Tim et Mlle Cynthia, qui étaient presque de la famille pour elle, et son pasteur à elle, Scott Murphy, la mènerait chez les Kavanagh pour un repas splendide.

— Mlle Louella, vous vous parlez, ce matin ?

— J'me réveille. Joyeux Noël !

— Joyeux Noël à vous ! Il y a eu beaucoup de neige cette nuit et il en tombe encore.

La neige n'avait aucune importance pour Louella et elle ne fit pas attention à cette observation.

– Êtes-vous prête pour un bon petit-déjeuner, c'matin ?

– Qu'est-ce que vous m'servez, ma chère ?

Elle savait qu'ils y mettaient beaucoup d'efforts, mais elle n'appréciait pas beaucoup les victuailles à la maison de santé de Mlle Sadie.

– De la saucisse à la dinde avec des œufs brouillés et un de vos délicieux biscuits.

– Gardez la saucisse et laissez-moi le biscuit et les œufs.

De la saucisse à la dinde ! Où s'en allait le monde ?

– Et quand vous irez dans la chambre de Mlle Pattie, pouvez-vous lui remettre ceci ?

Louella plaça sur le plateau un petit cadeau entouré d'un ruban rouge.

– Mes vieux os vont s'contenter d'une seule sortie aujourd'hui.

– Oui, M'dame, Mlle Louella.

– Et laissez-moi pas sortir sans mes p'tits pains. J'dois les prendre à la cuisine.

– Non, M'dame. Vous voulez que j'éteigne cette guirlande de lumières ?

— Non, j'veux la laisser allumée tant qu'ce sera Noël.

— Jusqu'à demain donc, dit l'infirmière Austin, qui n'aimait pas que l'électricité soit gaspillée en plein jour.

— Non, ma chère. Noël se termine le six janvier à minuit.

— Ah bon ! dit l'infirmière Austin, qui était habituée aux pensionnaires ayant des problèmes de mémoire et de confusion.

À près de deux kilomètres au nord du monument de Mitford, le vieux Mueller était assis à table devant son petit-déjeuner dans la maison non peinte entourée d'un champ de maïs et, avec ses dentiers qui trempaient habituellement dans un pot près de son lit, il dévora une grosse portion du gâteau qu'Esther et Gene Bolick lui avaient apporté hier, la veille de Noël.

Il ne savait pas pourquoi ils lui apportaient un gâteau chaque Noël puisqu'il les connaissait à peine, tout comme les autres à l'église en pierre de Main Street. Tout ce qu'il savait, c'est que s'ils oubliaient et ne venaient pas une année, il restait là à chialer comme un bébé.

Son chien, Luther, connu pour ses deux cent quarante et une taches sur le ventre, était près de lui, les pattes sur la table, regardant solennellement son maître.

— Fais-moi pas les yeux tristes, dit le vieux Mueller. Il approcha la boîte de gâteau, en coupa un bon morceau et le glissa dans une assiette en aluminium qu'il déposa par terre.

— Voilà ! dit-il. Et Joyeux Noël, ma vieille brute.

— Bill Watson !

— C'est mon nom !

— Tu es le meilleur des pères Noël.

— *J'suis pas l'père Noël !* Qu'est-ce qui te fait croire ça ?

— J'ai deux yeux et un cerveau !

Il ne savait trop quoi répondre à une telle déclaration.

Dans son peignoir et ses pantoufles, Mlle Rose se traîna jusqu'à la chaise près de la fenêtre, là où il était assis avec sa canne entre les genoux, regardant la neige s'accumuler au sommet du monument.

Elle se pencha pour appuyer sa tête contre la sienne et lui placer les bras autour du cou.

— Tu as toujours été mon bon vieux père Noël.

Immensément heureux, il lui tapota le bras.

— J'le s'rai toujours, répondit-il. Toujours.

Dans le cabinet de travail de la maison jaune de Wisteria Lane, un message électronique arrivait dans la boîte de réception du père Tim.

<*Emma Catherine Grayson*

<*4,5 kg*

<*4 heures ce matin.*

<*Tout va bien.*

<*Joyeux Noël et alléluia !*

<*Affectueusement, Emma*

Même en ce matin gris et enneigé, la table de la salle à manger dans la maison jaune paraissait joyeuse et remplie de promesses. Sur une épaisse nappe en lin reposaient un vase bas contenant des roses jaunes et une assiette décorée d'oiseaux exotiques que Cynthia avait dénichée lors d'un lointain voyage à travers la Nouvelle-Angleterre. Sur le buffet, l'argenterie de famille des Kavanagh brillait dans un rayon de lumière matinale.

Le père Tim était éveillé, comme son épouse, même s'ils avaient grimpé au lit à trois heures du matin.

– Je croyais ne jamais pouvoir m'endormir, dit Cynthia.

– L'excitation, dit le père Tim.

– Plus la caféine ! J'ai bu du café hier après-midi avec les méthodistes. Je ne me dompterai jamais !

– Attends que je te serve un bon café irlandais ! dit-il en bâillant.

– Qui crois-tu que c'était, Timothy ?

– De quoi parles-tu ?

– L'étable. Qui l'a fabriquée, d'après toi ?

– Je ne sais pas. Je n'ai presque pas envie de le savoir.

Ils étaient étendus tous les deux, fatigués mais heureux, comme deux cuillères dans un même tiroir.

– Tout est miraculeux, murmura-t-elle.

– Oui ! dit-il. Que tu sois venue me chercher pour le lunch juste après que Fred eut le temps de transporter dans la ruelle la boîte contenant l'ange cassé ! La réalité dépasse souvent la fiction.

Elle bâilla à son tour.

– Je me suis garée derrière l'Oxford et j'ai marché dans la ruelle. Curieuse, je n'ai pu m'empêcher de regarder dans cette boîte posée sur le dessus de la poubelle. Quand j'ai vu ce joli visage, j'ai tout de suite désiré l'ange. Il y a quelques années, j'ai travaillé avec du plâtre et j'ai pensé que je pouvais le réparer. Je l'ai rapporté à la maison en me disant « Timothy a donné ce bel ange en bronze à Hélène ; je vais donc lui en faire un autre. » Si je réussissais, il représenterait la vraie raison pour laquelle le Christ est né. Il est venu faire de nous des êtres entiers.

– Noël est réel, dit-il. Complètement vrai.

– Oui, dit-elle. Complètement vrai.

– Joyeux Noël, mon amour.

– Joyeux Noël, mon chéri.

– Au fait, dit-il, quelle était cette odeur nauséabonde provenant de ta salle de travail ?

– Du mastic pour carrosserie ! La solution parfaite pour recoller tous les morceaux épars.

Elle blottit sa tête au creux du bras de son époux.

– Tu sais, Timothy, puisque la table est mise et que presque toute la nourriture est prête, puisque nous

nous sommes couchés si tard et qu'il est encore tôt, puisque personne n'arrive avant seize heures et que je n'ai presque *jamais* la chance de le faire...

– Crachez le morceau, Madame Kavanagh.

– ... je vais me rendormir !

– Excellente idée ! Et puisque Barnabas s'est couché à deux heures et demie et que le jambon est apprêté, puisque le feu de foyer est prêt, que le lait de poule est préparé, que les marches avant sont salées, je vais me joindre à vous !

Il tapa son oreiller, remonta les couvertures jusque sous leur menton et serra son épouse encore plus fort.

Après tout, c'était Noël.

Quant à l'enfant, il grandissait et se fortifiait, tout rempli de sagesse, et la faveur de Dieu était sur lui.

Luc 2 :40, KJV

À propos de l'auteure

JAN KARON écrit « afin de donner à ses lecteurs une grande famille et de célébrer la beauté extraordinaire de vies ordinaires ». Elle a publié des livres pour enfants, dont *Miss Fannie's Hat* et *Jeremy : The Tale of an Honest Bunny*. Elle est également l'auteure de *The Trellis and the Seed : A Book of Encouragement for All Ages*. En 2004 est paru *The Mitford Cookbook & Kitchen Reader* et, très bientôt, paraîtra *Light from Heaven,* le dernier roman de la collection Mitford.

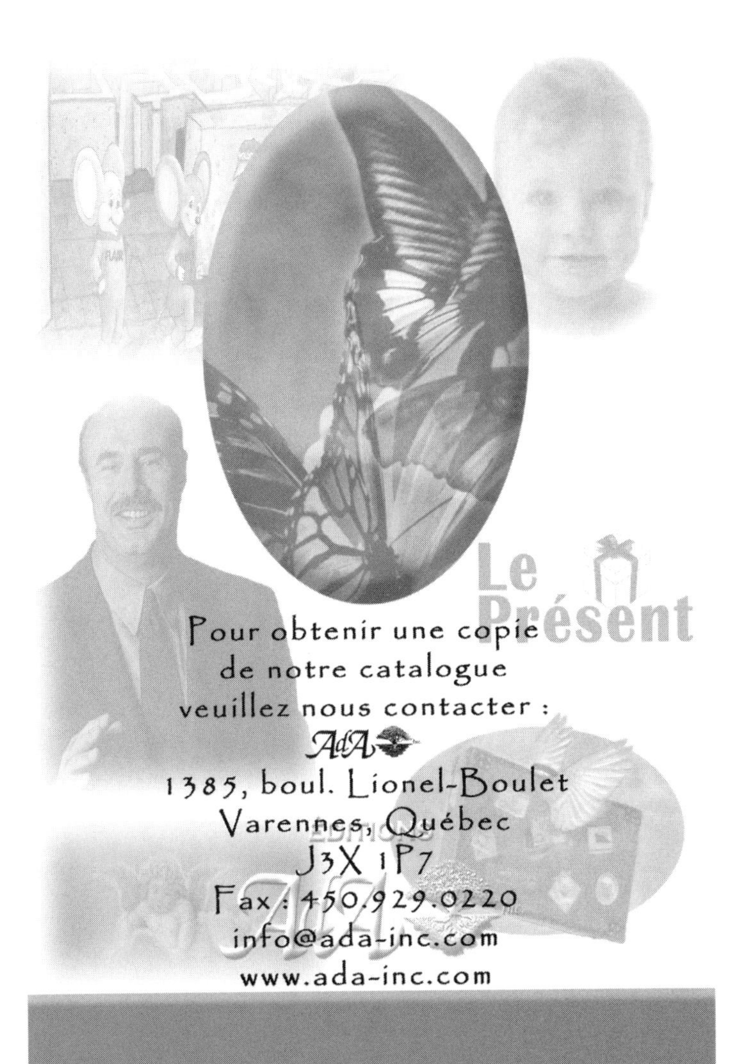
Le Présent
ÉDITIONS